講談社文庫

ボックス！(上)

百田尚樹

講談社

CONTENTS

CONTENTS

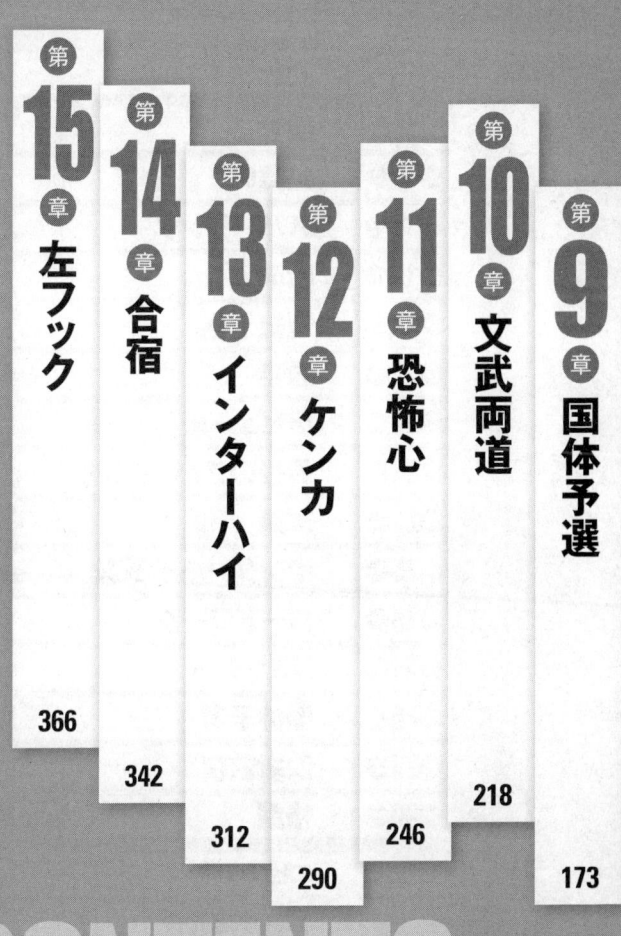

CONTENTS

下巻

ボックス！

上巻

Box［báks］　［名詞］箱

［動詞］ボクシングをする

第1章　耀子、風を見る

さっきから電車内の騒がしい声を我慢していた耀子《ようこ》の鼻にタバコの臭いがした。臭いの元は、ドア付近の床で車座になっている六人の若者たちだった。環状線の列車の床に座って馬鹿みたいな大声で話しているだけでも十分過ぎるほどのマナー違反なのに、喫煙までするなどもっての外《ほか》だ。

周囲の乗客は彼らなど存在していないかのようにあらぬ方を見つめたり、目を閉じたり、メールを打ったりしている。若者は男五人と女一人だった。男五人は全員が頭を金髪に染めていた。その中には顔に幼さが残る者もいたから、高校生が混じっているのかもしれない。女の子はかなり幼く中学生くらいに見えた。

耀子はタバコをくわえている一人を睨《にら》み付けた。教師という職業的な立場もあったが、それよりも一人の乗客として許せなかった。隣に座っていた久美がそんな耀子の気配を感じ、これから行く海遊館のガイドブックを開いて話しかけてきた。

久美に返事をしようと思った時、少女の一人が耀子の視線に気付き、嫌な目つきで睨み返してきた。アイドルみたいに綺麗な顔立ちをしていたが、その表情に子供らしい可愛さはなかった。耀子は少女を睨んだ。

その少女がドスの利《き》いた声で、

「何やねん、おばはん！」

と怒鳴った。耀子は驚いたが、十歳くらいしか年の離れていないような子供におばはん呼ばわりされたことには、かっときた。

少女の声に仲間たちも耀子の存在に気付き、全員が彼女の方を見た。

「あのおばはんがさっきから怖い顔して睨んでるんや。きっしょいわ」

男たちは凄《すご》むように耀子を睨んだ。久美が立ち上がりかけた耀子の腕を摑《つか》んだ。

「変な顔しやがって――」

少女は携帯電話を取り出して耀子に向けると、いきなり写真を撮った。

「一斉配信したろーっと」

「やめなさい！」

耀子は制止しようとする久美の手をふりほどくと、立ち上がって少女に近付き、いきなり携帯を取り上げた。

「何すんねん！」

少女は叫んだ。その瞬間、男の一人が耀子の腕を摑んだ。唇にピアスをしているのが見えた。耀子はその手を払いのけようとしたが、男の力は強かった。

「携帯返さんか、このババア！」少女が怒鳴った。

他の男たちもにやにやして耀子を見下ろしていた。耀子は少女が奪い返そうとする携帯を必死で握りしめた。

「なめとんのか！」

突然、男の一人が大声で怒鳴り、耀子のブラウスの胸元を摑んだ。後ろで久美が、きゃあと悲鳴を上げた。

「調子こいとったら、しばきまわすぞ」

男がそう言って胸ぐらを揺さぶると、ブラウスのボタンが一つ飛んだ。それに気を取られた隙に、少女に携帯電話を奪い返された。少女はギャハハと笑い声を上げた。

耀子は悔しさと恐怖で泣きそうになった。

「泣いたら堪忍してもらえると思たらあかんぞ、おばはん」

少女の嘲《あざけ》りの言葉を聞いて、涙が止まった。死んでも泣くもんか。たとえ殴られたって泣くもんか。

男たちは、唇を嚙みしめている耀子を見てにやにや笑っている。

「お前ら、やかましいんじゃ！」

突然、男たちの背後から声がした。

少し離れたところに二人の少年が立っていた。

「なんじゃあ、われぇ！」

振り返った男たちが怒鳴ったが、二人の少年のうちの野球帽をかぶった一人がゆっくりこちらに向かって歩いてきた。

「さっきからええ加減うっとうしいんじゃ」野球帽の少年が言った。

タバコをくわえていた男の一人が「なんやとぅ、このガキィ――」と凄みながら少年に向かって行ったが、突然、両膝を折るように床にしゃがみ込み、そのまま前のめりに倒れた。一瞬のことで何が起こったのかわからなかったが、野球帽の少年が何かをしたのだということだけはわかった。

野球帽の少年は倒れた男を飛び越えて四人の男たちの前に飛び出した。そして両腕を交互に振った――瞬間、二人の男が床に倒れていた。

「何やねん、こいつ！」

という悲鳴のような男の声が聞こえたが、言い終わる前に彼も床に転がった。

耀子の胸ぐらを摑んでいた男は、手を放すと、少年に向かって「ごめんなさい」と頼りなさげな声を出した。しかし少年の体が動いたかと思うと、彼も声も立てずに仰向けに倒れた。

少女は、「お前、そんなことしてただで済むと思ってんのか！」と言って、携帯で少年の顔を撮った。少年はその携帯を奪い取ると両手でへし折った。そして呆然としている少女の顔を平手打ちすると彼女は悲鳴を上げて床に倒れた。

その時、電車が西九条《にしくじょう》駅に着き、ドアが開いた。野球帽をかぶった少年は電車をするりと降りた。後ろにいたもう一人の少年も慌ててそのあとに続いた。

後には五人の男と一人の少女が床に倒れていた。

――風が吹き抜けたみたい、と耀子は思った。

その夜、耀子はなかなか寝付けなかった。昼間の光景が何度も脳裏に浮かんできた。

しかしいくら思い出そうとしてもその光景が具体的な映像では甦らなかった。風が目には映《うつ》らないように、少年の動きを思い浮かべることが出来なかった。

あの少年は何をしたのだろう。手を振っていたような気がするから、多分、パンチか何か使ったのだ。空手だろうか。でも映画で見るカンフーよりももっと速かった。

あのあと、久美に促されて慌てて電車を降りたが、彼女も興奮していた。

「すごかったね」プラットホームで久美の声はうわずっていた。「テレビでも見てるみたいやった。現実の世界でも、こんなことがあるんやね」

海遊館でも話題は車内の出来事ばかりだった。

「それにしても、今どきのガキってやばいよ」久美が言った。「あの時、あの子らが出てこなかったら、相当やばかったよ」

「大丈夫よ。すぐに車掌さんが来てくれたわよ」

「耀子は自分が高校の先生やから平気かもしれんけど、私、本当に怖かったわ」

「うちの高校にはあんなのはいてへんわ」

耀子の勤める恵美須《えびす》高校は有名進学校というわけではなかったが、数年前に特進クラスが出来てから、実績を上げてそれなりに注目されている学校だった。しかし特進クラス以外はたいしたことがなかった。

あの少年は高校生かな。耀子は寝付けない体で寝返りを打ちながら思った。久美は

「可愛い顔してたわね」と言ったが私は少年の顔なんか全然見ていない。いや、多分見てたんだろうけど、まったく記憶にない。覚えているのは風のような動きだけだ。それにしても絵に描いたようなヒーローの登場だった。もし私が女子高生だったなら恋に落ちていたシチュエーションかもしれない。もっとよく顔を見ておけばよかった。あの時、彼に声をかけて——そう思った時、耀子ははっとした。

少年に礼を言うのを忘れていた。

私ったら、ぼーっとして彼が立ち去るのを眺めていた。耀子は苦笑した。二十四歳にもなるいい大人が、いくらびっくりしていたからって礼の一言も言えないなんて。もう一度会えばわかるかな？　わかるような気もしたが、全然わからないような気もした。少年の方は私を見たらどうだろうと思ったが、多分気付かないだろう。あの少年は一度も私を見なかったから。

翌週、耀子は一年生の英語の授業中、一人の生徒の顔を見て、あっと思った。あの時の二人組の少年のうちの一人に似ていると思ったのだ。でも風のように吹き抜けた少年ではない、後ろの方にいた少年だ。

いや、違うかな。授業をしながら何度か彼の顔を見たが、確信が持てなかった。

そのクラスは勉強が出来る生徒が集められた特進クラスだった。上位五人は授業料が免除される特待生だ。たしかこの木樽優紀《きたるゆうき》という少年も授業料免除の優等生だったはずだ。ケンカなんかにはほど遠い生徒だ。やっぱり勘違いだろうか。

授業が終わってから、耀子はさりげなく木樽の名前を呼んだ。木樽は少し怪訝《けげん》そうな顔で教壇の近くにやって来た。

「何ですか?」

耀子は周囲に生徒がいなくなるのを待った。

「おかしなこと訊くけど――」耀子は言った。「あなた、先週の土曜日――おとといだけど、どこにいた?」

木樽はぱっと顔を明るくした。「――やっぱり先生でした?」

その言葉で耀子は木樽があの時の少年の一人だとわかった。

「ちらっとしか見えなかったんですけど、もしかして高津先生やないかなあと思ったんです」

あの時、耀子はいつもは着ないワンピースで、長い髪を下ろしていた。学校では地味なスーツを着て髪もアップにしていることが多い。それに授業中はたいてい眼鏡をかけている。同僚教師にすら街ですれ違ったら気づかれない時がある。

「あなたやったの？　私を助けてくれたのは」

木樽は首を振った。

「助けたのはぼくじゃないですよ。鏑矢《かぶらや》です。ぼくの友人です」

「その子もこの学校の生徒？」

「一年八組です」

八組は体育科で、運動の得意な子が集められたクラスだ。耀子は八組の授業は受け持ったことがない。

「私とわかって助けてくれたの？」

「はい、と言いたいところだけど違います。あいつらが電車の中で座って大声出してる時から、鏑矢は『うっとうしいから静かにさせたる』と言《ゆ》うてたんですが、ぼくが必死に止めてたんです。そのうち、先生がいちゃもんつけられたみたいになったから、鏑矢がキレたんです。でも先生やとは気ぃ付きませんでした。お役に立ててよかったです」

「勇気あるのね」

「鏑矢は強いですから」木樽は誇らしげに言った。

それは勇気があるという言葉の肯定なのか否定なのかわからなかった。

「かぶらやってどんな字を書くの？」

「流鏑馬《やぶさめ》に使う鏑矢です」

木樽は言いながら、手のひらに指で字を書いた。

「鏑矢君に会わせてくれる？」

「今からですか？」

「昼休みでいいわ。食堂でどう？」

「わかりました」

職員室に戻っても、耀子は少しどきどきしていた。まさか、あの少年にもう一度会えるなんて――しかも自分の高校の生徒だなんて。

どんな少年なんだろう。久美は可愛い顔をしていたって言ってたけど、一年生なら当然だ。一ヵ月前まで中学生だったんだから。

「どうしました？　にこにこして」

隣の席の数学の玉木先生が耀子に声をかけた。

「――ちょっとさっきの授業でおかしいことがありまして」

耀子は慌ててごまかした。

「それはいいですね。私はさっきの授業で不愉快なことがありましたよ」

「そうなんですか」

「体育科相手に教えていると、不愉快なことがいっぱいですよ。あいつら授業なんか全然聞こうとしないから」

体育科と聞いて少しどきっとした。

「体育科の連中に高校の数学なんか無理なんですよ」

耀子もそうだろうなと思った。はっきり言って、体育科の生徒は勉強が苦手な子が集まっている。高校の数学なんて理解出来る生徒はいないだろう。なまじ体力を持て余している体育科の生徒にとっては、静かに授業を聞くのもなかなか出来ないことなのだろう。教える方も教わる方もご愁傷様だ。

「高津先生はまだ体育科を教えたことがないでしょう。まあ一度受け持ってごらんなさい。教育の無力さを痛感しますね」

耀子は曖昧にうなずいた。

「玉木先生は体育科一年生の鏑矢という生徒をご存じですか？」

「鏑矢義平《よしへい》ですか？」

「下の名前までは知りませんが」

「鏑矢なんて名前は珍しいから彼でしょう。なんで、彼のことを聞くんですか」

「特進クラスの子に親友というのがいて、たまたま彼の話をしてましたから」

「特進クラスと体育クラスの子が友達なんですか」

「鏑矢君というのはどんな感じの子ですか？」

玉木は黙って机の上のファイルから一枚の紙を取り出した。

「昨日《きのう》やった小テストです。鏑矢の答案用紙です。名前の欄をご覧なさい」

見ると、氏名の欄に「かぶらやよしへい」という平仮名がすべて裏返した形で書かれている。一年八組の「年」と「組」という字も裏返しで書かれていた。

「これって鏡文字ですか？」

「そうですね」

「すごい！」

鏡文字を書く子供には天才が多いと聞いたことがある。たしかレオナルド・ダ・ヴィンチやアインシュタインも子供の時に鏡文字を書いていたのではなかったか。

玉木は耀子の驚きを鼻で笑った。

「鏡文字じゃないですよ。ごらんなさい、よしへいのしを」

よく見ると「し」は普通の文字になっていた。

「ふざけて鏡文字を書いてはみたけれど、途中で間違えて書いてしまったんですな」

玉木は別のファイルからまた一枚の紙を取り出した。「先週やった小テストです」

そのテストの氏名欄には「玉木正和」と書かれていた。答案を書く項目にはデタラメな数字や記号が書かれていて、全問「×」だった。

「なんで、私が0点を取らんとあかんのですか。ほんまに——名前を間違った分、マイナス点をつけてやりたい気分ですわ」

玉木は苦々しい顔で言った。「体育科を教えていると、精神修行になりますよ」

耀子は大変ですねと言って、適当に話を切り上げた。

昼休み、食堂へ行くと、入口のところで木樽が待っていた。

「鏑矢は中にいます」

耀子は木樽と一緒に食堂に入った。

「あそこです」木樽が指さした。「柱の横で、背中を向けてる奴です」

制服である紺のブレザーに包まれた細身の体が見えた。耀子はどきどきした。何て言ったらいいだろう。顔に見覚えがあるだろうか。

鏑矢は何人かの生徒たちと話していた。何か面白いことを言ったのか、周囲の者がどっと笑った。

「カブちゃん」と木樽が声をかけた。

振り返った生徒を見て、耀子は一瞬ぎょっとなった。少年は長い鼻水を垂らしていたからだ。よく見るとそれはウドンだった。向かい側に座っている生徒も同じように鼻の穴にウドンを差し込んでいる。

「何してるの、あなたたち」

一瞬、教師の立場に戻った。

「誰が長いウドンを垂らせるか競争してんねん」と鏑矢は言った。「先生もやる?」

「結構よ」

耀子は呆れて、礼を言うのも忘れていた。

「カブちゃん、先生がカブちゃんにお礼を言いたいって」

「お礼って?」

鏑矢は鼻からウドンを垂らしたまま木樽に訊いた。

「土曜日、環状線の中で、からまれてたの先生やって」

「ほんまかいな。ほんなら俺、表彰もんやな」

「あの時はありがとう」耀子はさらっと言った。

「カブやん、先生助けたんか」

周囲の生徒たちが驚いて言った。

「そうらしいわ」

鏑矢は今度はウドンをちぎって、もう一方の端を別の鼻の穴に入れた。牛の鼻輪みたいになったのを見て、生徒たちが大笑いした。受けたのを見て鏑矢も嬉しそうに笑っている。耀子は自分の頬が引きつるのがわかった。

何てバカなの、こいつ！　玉木先生が言ってた通りだわ。

「ただ、教師の立場から言わせてもらうと、暴力はよくないわ」

「せやけど、暴力を振るわへんかったら、先生どつかれてたかもしれんで」

「それはないわ。そんなことしたら警察に突き出してやるもの」

「先生一人で全員を警察に突き出すのは大変やで」

「たしかにね」耀子は同意した。「あなたは、五人相手によく勝てたね」

「十人でも勝てんで。無敵やもん」

鏑矢はそう言ってぺろっと舌を出した。その時、舌がウドンの鼻輪に引っかかった。鏑矢はそれに気付いて、今度は舌で鼻輪を引っかけようと舌を伸ばした。耀子はめまいがしそうになった。

「じゃあ、ありがとう」

「はいよ」

鏑矢はもう舌で鼻輪を取るのに夢中だった。

耀子が食堂を出たところで、木樽が追いかけて来た。

「先生、すいません、鏑矢はふざけるのが好きで――」

「あまりにも程度が低すぎて、呆れるのを通り越したわ」

耀子は足早に歩きながら言った。

「でも、あいつは天才なんですよ」

耀子は足を止めた。

「何の?」

「ボクシングです。鏑矢はうちの高校のボクシング部なんです」

「ああ、そうなの。ボクシングなんて、ちゃんとした頭を持った人がやるもんじゃないというのもわかったわ。あの子は多分、ボクシング界では頭のいい方なんでしょうね」

木樽はちょっと困ったような顔をした。

「文武両道って滅多にいるもんじゃないのよね」と耀子はため息をつきながら言った。「私を助けてくれたのがあなただったらよかったのに」

そう言った途端、木樽が顔を赤くするのが見えた。

第2章　いじめられっ子

——私を助けてくれたのがあなただったらよかったのに。

優紀《ゆうき》の頭の中に高津先生の言葉が何度も甦る。

そうだったらどれだけよかったか、と優紀は思った。

高津先生は憧れの女性だった。初めて見た時に胸がときめいた。八歳も年上の女性に憧れるなんておかしいのはわかっている。でもどうしようもなかった。これまで女の子を好きになったことはあるが、思うだけで胸がどきどきするというようなことは一度もなかった。もしかしたら、これが恋なのだろうか。

まさかあの電車の中で不良たちにからまれていたのが本当に高津先生だったなんて——。

あの時、鏑矢は最初からやる気だった。

「あいつら、うっとうしいから、ちょっと静かにさせてくるわ」

鏑矢は、車内で騒ぐ男たちを見て立ち上がりかけたが、優紀は必死で押しとどめた。鏑矢の強さは知っていたが、相手は五人だ。いかにも不良という感じでケンカ慣れしているようにも見えた。腕に自信がなければ、環状線の車内であんな風に傍若無《ぼうじゃくぶ》人《じん》には振る舞えないだろう。いくら鏑矢が強くても勝てるとは思えなかった。

「車掌に連絡しよう」

「そんなめんどくさいこと出来るかや」

ケンカする方がよほど面倒なことだと思ったが、優紀は「頼むよ」と言った。

鏑矢は優紀の懇願を聞き入れ、不良グループから視線を外した。その直後、車内に女性の悲鳴が響き渡った。見ると、さっきの男たちが女性の乗客にからんでいる。大きな鏑矢の口元が笑ったように歪《ゆが》むのが見えた。彼が本気で怒った時の徴《しるし》だ。こうなるともう止められない。

鏑矢の怒鳴り声に、男たちが一斉にこちらを振り向いた。鏑矢は彼らに向かってゆっくり歩いて行った——。

あとはもう一瞬の出来事だった。あっという間に五人の男たちは無様に床に這《は》わされていた。

あの光景を思い出すと、ぞくぞくする。かっこいいなんてもんじゃない！　鏑矢の強さは知っていたが、あれほどとは思わなかった。

もしぼくが、と優紀は思った。あんな風に不良たちを叩きのめすことが出来たら——。憧れの高津先生を助けることが出来たら——。その想像は優紀を恍惚《こうこつ》とさせた。

鏑矢とは幼なじみだった。弁天町《べんてんちょう》の商店街の隣同士に住んでいたから、小さい時からいつも一緒に遊んでいた仲だった。同じ幼稚園と小学校に通った。

鏑矢は子供の頃から活発でケンカも強かった。反対に優紀は体が弱く、小児喘息《ぜんそく》の持病があり、一度熱を出すとなかなか治らなかった。ケンカになりそうになると、それだけで泣いてしまう気の弱い子供だった。それでよく同級生たちにいじめられた。そんな優紀を鏑矢はいつも助けてくれた。

鏑矢は小学校三年生から空手を習い始めた。それで一層ケンカの腕が上がった。怒るとすぐに手が出る気の短い子供だったが、優紀には一度も手を上げたことがない。

鏑矢は運動も得意で、クラスの人気者だったが、勉強は出来なかった。

「ユウちゃんは勉強が出来るからええなあ。俺なんかアホやからなあ」

鏑矢は優紀のことをそう言って羨《うらや》んだが、優紀はその何十倍も鏑矢を羨んでいた。いつもカブちゃんみたいに運動が出来て、ケンカも強かったらどんなにいいだろうといつも思っていた。勉強なんか机にかじりついてさえいれば自然に出来るようになるものだ。しかしケンカも運動もそういうわけにはいかない。

中学へ上がっても鏑矢との友情は続いていたが、二年生の終わりに優紀の父が病気で亡くなり、多くの借金を抱えた母は店を売って商店街から引っ越し、学校も転校することになった。

新しい住まいは淀川区にある生命保険会社の寮だった。母はそこで住み込みの寮母として雇われたのだった。

優紀が転校した公立中学は荒れていた。おとなしい優紀は早速、落ちこぼれの不良たちの恰好《かっこう》の標的になった。何度も理由なく殴られたり蹴られたりした。ずば抜けて勉強が出来た優紀は転校していきなりトップの成績を取ったが、そのやっかみもあってかクラスで孤立した。優紀が教室で不良たちに殴られていても誰も止めてくれず、皆見て見ぬふりをしていた。教師に訴えても、不良たちにその場限りの注意を与えるだけで、暴力はやむどころか、逆に不良たちの復讐心を煽《あお》るばかりだった。優紀は教師に助けを求めるのは諦《あきら》めた。中学の最後の一年間は地獄だった。

恵美須《えびす》高校を選んだのは、特進クラスがあったことと、優秀な生徒には授業料の免除があったことだ。父親のいない優紀の家は貧しく、授業料の全額免除は大きかった。

恵美須高校に入って数日後、優紀は懐かしい男に声をかけられた。鏑矢だった。二人は再会を大いに喜んだ。

鏑矢は体育科に入っていた。体育科は勉強よりも運動の得意な子が集まっていて、全員が何らかの運動部に入っていた。鏑矢はボクシング部だった。

「俺、ユウちゃん引っ越してから、ボクシングジムでボクシング習《なろ》てたんや」

「知らんかった」

「空手も面白《おもろ》いけど、ボクシングも面白いで。スコーンとパンチが決まった時なんか最高の気分やで」

鏑矢は楽しそうに言った。

土曜の特別補習を終えて学校を出る時、校門で鏑矢とばったり会った。

「よお、こんな遅《おそ》まで勉強か。大変やのー」鏑矢が声をかけた。

土曜の午後の特別補習は特進クラスしか行われていない。

「カブちゃんは──あ、そうか、ボクシングか」

「そういうこと」

「しんどないの？」

「脳みそ使うよりもずっと楽やで」鏑矢は笑った。

鏑矢の使う駅はJR環状線の新今宮《しんいまみや》駅、優紀は地下鉄御堂筋《みどうすじ》線の動物園前駅だったが、隣り合った駅なので、二人は堺筋《さかいすじ》を南に向かって歩いた。「脳みそ使うよりも楽」と言っていた鏑矢だったが、疲れていたのか、歩きながらあくびばかりしていた。

「カブちゃん、ぼくもボクシングやったら強くなれるかな」

優紀の言葉に、鏑矢は急に目を大きく開いた。鏑矢には前から何度かボクシングをやろうと誘われていたのだ。

「ユウちゃん、ボクシングやる気になったんか」

「いや、そういうわけやないんやけど……」

「ボクシングやったら強《つよ》なんのわかってるやん。俺見たらわかるやろ」

鏑矢は大きな声で言った。優紀はすれ違った通行人がぎょっとした顔をするのがわかった。優紀は周囲を気にしながら小さな声で言った。

「カブちゃんは昔から強かったやんか」

「強い奴がやると無敵になんねん。ユウちゃんもめっちゃ強なるで」

「ケンカも?」

「当たり前やん、ケンカにはめちゃくちゃ役立つで。パンチは飛び道具やもん」

「飛び道具?」

「うん、たいていのケンカは摑《つか》み合いの取っ組み合いや。せやけど、パンチは組まれる前にガーンや。刃物で向かって来る奴に拳銃撃つようなもんやな」

鏑矢は指でピストルの構えをした。

「カブちゃんの拳銃はよう当たるんやな」

「そら当たるわな。毎日それればっかり練習してるんや。せやけど相手もよける練習をやってるからな。当てるのは結構難しいで」

「素人相手やったら?」

「素人相手にはずしてたら、試合でボロ負けするやんか」

「すごいなあ」

「ユウちゃんも一緒にやろうや。面白《おもろ》いで」

優紀は返事を濁した。鏑矢のように強くなりたい気持ちはあったが、実際にボクシングを始める気にはなれなかった。受験もあるし、第一、これまで真剣にスポーツをやったことがないから、ボクシングのようなハードなスポーツがやれるとは全然思えなかった。それがわかっていながら、なぜ鏑矢に「ボクシングをやれば強くなれるのか」と聞いたのか、自分でもわからなかった。

「新世《しんせ》界《かい》寄って、お好み焼きでも食べへんか」鏑矢が言った。「奢《おご》るから」

優紀はちらっと時計を見た。「いや、今日はやめとくわ」

新今宮駅に着いた。別れ際、鏑矢が言った。

「来週、試合あるんやけど、見に来《け》えへんか」

「カブちゃんの試合か？」

「デビュー戦なんや」

「見に行ってもええけど、カブちゃんの負けるとこは見たないで」

鏑矢はおかしそうに笑いながら、「俺が負けるわけないやんか」と言った。

「カブちゃんが絶対に勝つんやったら行くよ」

「120パーセント勝つで」

「相手は誰なん？」

「知らん」

「どこの高校？」

「知らん」

「それで120パーセントにするわ。十五割やな、ん？　一割五分か？　いやちゃうな十五割でええんか。まあええわ。とにかく勝つんやから」

「150パーセント？」

優紀はおかしくなった。目の前で豪快に笑う親友の姿が頼もしく思えた。自分なら試合を控えてとてもこんな風に豪気に構えてはいられないだろう。どんな相手と戦うかわからないで、150パーセント勝つと笑っているなんて——。

「ほんなら、ぼくも150パーセント応援に行くわ」

「ほんまか。待ってるで」

第3章　モンスター

耀子がボクシングの試合を観るのは生まれて初めてだった。

特進クラスの木樽に誘われたのは昨日の金曜日のことだ。「明日、鏑矢の試合があるんですけど、よかったら応援に行きませんか」と言われたのだ。

耀子は鏑矢のボクシングなんて観たいとは思わなかった。そもそもボクシングというものにまったく興味がない。それどころか男が殴り合って戦うなんて野蛮極まりないと思っていた。断ろうと思ったが、「応援」という言葉が彼女を引き留めた。

鏑矢には礼を言っていたが、あの状況で助けてもらって「ありがとう」の一言で済ますのもどうかという意識はずっとあった。もし鏑矢がいなければ、あの少年たちに殴られていたかもしれない。それに鏑矢自身も運が悪ければ袋叩きの目に遭っていたかもしれないのだ。応援くらい行ってもバチが当たらないだろうと思った。

試合は全国高等学校総合体育大会――俗にインターハイと呼ばれる大会の大阪府予選だった。

予選は土日を使って二週にわたって行われていた。高校ボクシングは体重別に九つの階級に分かれていて、それぞれの階級の優勝者がインターハイに出場出来る。ただし最軽量と最重量の階級は選手層が薄いため、近畿ブロックで一人しか全国へ行けない。各階級の予選出場者は少ない階級で二人、多い階級で十三人、平均すると七〜八人だった。優勝するまでは三〜四試合勝ち抜かなくてはならない。

この日の土曜日は二週目で、大会としては三日目に当たり、準決勝だった。

今回のインターハイ予選には恵美須《えびす》高校から五人が出場していたが、四人は先週で敗退し、勝ち残っているのは鏑矢一人だった。四月に入学したばかりの一年生が準決勝まで駒を進めるのだからたいした腕前なのだろうと耀子は思った。

試合会場は私立玉造《たまつくり》高校のボクシング練習場だった。JR環状線の森《もり》ノ宮《みや》駅から歩いて数分のところにあった。生徒数二千人を超えるマンモス男子校で、勉強よりも運動で名を馳せる学校だった。

朝早くから試合が行われていると聞いて、十時に会場に着いたが、試合開始は十一時からだった。どうやら鏑矢が木樽に間違って伝えていたらしい。

百畳近くあると思われる広い練習場の端にリングがあった。リングの前の広いスペースにパイプ椅子が百脚くらい並べられていた。それが一般の観客席らしく、既にちらほらと座っている人たちがいた。おそらく選手の父兄だろう。

生まれて初めてボクシングのリングを見た。床よりも五十センチくらい高いところに設置されていて、大きさは数メートル四方の正方形だった。四隅に鉄製の支柱が立てられ、そこに四本のロープが張られている。リングの床は白いキャンバス地だった。近付いてよく見ると、キャンバス地の方々に汚れたような黒っぽい模様があった。何の汚れだろうと顔を近付けて、ぞっとした。それは血の痕《あと》だったからだ。よく見ると、薄くなったものも含めて無数にあった。

会場内や廊下にはいろいろな高校のボクシング部の部員たちが大勢いた。彼らは同じ高校のメンバーで固まっていた。皆怖い顔をしていた。

高校総体で行われるスポーツ大会はこれまでにも何度か観戦したことがあったが、ボクシング会場全体に張りつめる殺気だった空気は、他のスポーツ会場では一度も感じたことのないものだった。

「先生」木樽が耀子の姿を見つけて声をかけてきた。「鏑矢らは隣の教室にいます」

練習場に隣接している教室が選手の控え室になっていた。

教室に入ると、他校の選手たちも大勢待機していた。

「あ、鏑矢です」

木樽が左手を指さした。見ると、恵美須高校のボクシング部員たちが集まって輪になっているところから少し離れて、机の上に腰掛けて退屈そうに下を見ている鏑矢の姿があった。

「カブちゃん」

木樽が近寄って声をかけると、鏑矢は顔を上げた。緊張感のない少し眠そうな顔だった。

「あれ、先生も一緒なん?」鏑矢は耀子の姿に気付いて言った。

「応援させていただくわ」

「ありがと」

恵美須高校のボクシング部員たちが挨拶をしてきた。いずれも体育科の生徒らしく、体育科を受け持っていない耀子には見覚えのない生徒たちだった。

「カブちゃんの試合は何時から?」

木樽が鏑矢に訊いた。

「さあ、何時くらいかな。早《はよ》う終わってメシ喰いたいわ」

「なんも食べてへんの？」

「計量終わっておにぎり二個喰うた。がっつり喰いたいけど、喰い過ぎると体が動かんようになるからな」

「鏑矢君は何というクラスなの？」と耀子は訊いた。

「フェザー級」

「フェザー級って何キロなの？」

「54キロから57キロ」鏑矢はそう言った後で、にやりとして言った。「先生もフェザー級ぎりぎりやな」

図星を指されて、耀子は動揺した。耀子は１６８センチあったが、鏑矢はそれよりも高かった。１７０センチ台の前半はあるだろう。ずいぶん痩せた子なのだ。

「ボクシングって体重が細かく分かれているの？」

耀子は木樽に訊いた。

「フライ級からライト級くらいまでは大体3キロくらいで分かれているみたいです。その上からは4キロ、５キロと上がっていきます。それくらいの重さの違いが全然勝負にならないくらいの差になるらしいです」

「俺くらいの天才になると、一階級くらいの差は関係あらへんけどな」

「そんなものなの？」

「3キロなんか、ちょっと太いウンコしたらしまいやし。先生なんか、毎日それくらいのウンコしてるんとちゃうん？」

鏑矢はそう言ってゲラゲラ笑った。こんな子の応援なんか来るんじゃなかった。

その時、後ろから「高津先生」という声がした。振り返ると、サングラスをかけた男が立っていた。保健体育担当の沢木先生だった。沢木先生はボクシング部の顧問をしていたのを思い出した。これまでほとんど話したことがない。

「どうしたんですか？　ボクシング部の応援ですか？」

沢木はにこりともしないで言った。

「ええ、生徒に誘われて、やって来ました」

「ボクシング、お好きなんですか？」

いいえとは言いにくかった。「生で見るのは初めてです」

「そばで見るとびっくりしますよ」

たしか沢木は昔アマチュアボクシングの選手だったと聞いたことがある。年齢は四十代後半だったが、すっかり肥えていて、元ボクサーというイメージはまったくなかった。学校でもいつも薄い色の付いたサングラスをかけていて、そのことで耀子はあまりいい印象を持っていなかった。

「高津先生が応援に来たとなったら、みんな張り切りますよ」

「そんなことはないですよ」

「いやいや、こんな会場に先生みたいな若い女性が来るなんて滅多にないことだから、他校の選手も緊張してますよ」

沢木はそう言って周囲を見渡した。耀子が同じように目をやると、何人かの選手が慌てて目を逸《そ》らした。

「ええこと考えた!」

突然、鏑矢が言った。「先生がラウンドガールになったらええねん。ハイレグのこーんなやつ着てリングに上がったら大ウケやで」

鏑矢は両手を自分の股《また》に当ててハイレグの恰好をして腹を抱えて笑った。沢木が鏑矢の頭を軽く叩いた。

「しょうもないことを言《ゆ》うてんと、体でもほぐしてこい」

鏑矢は、はいはいと言いながら、廊下に出た。

木樽は少し迷った素振りを見せたが、鏑矢の後を追った。

「カブは本当にふざけた奴で——」

「鏑矢君はボクシングは強いんですか？」

沢木は少し間を置いて、「まあまあですね」と言った。

十一時ちょうどに開会の簡単な挨拶が終わって試合が始まった。

会場にはもう観客が集まっていた。百脚近くあったパイプ椅子は全部埋まっていた。観客は選手の父兄だと沢木が言っていたが、女性の姿もあった。

「あれはお母さんですか？」

「昔は母親が見に来るなんてほとんどなかったんですが、時代が変わったんですね」

と沢木が言った。

リングに選手が上がった。上半身は色付きのランニングシャツを着て、頭にはヘッドギアを付けていた。下は大きめのトランクス、靴はリングシューズだった。

「プロとは大分違いますね」耀子は沢木に言った。

「プロは上半身裸で戦いますが、アマはランニングシャツ着用が義務づけられています。一番大きな違いは安全のためのヘッドギアですね」

「トランクスの下に付けてるのは何ですか？」

「ノーファウルカップです。ボクシングはベルトライン以下を殴るのはローブローと言《ゆ》うて反則なんです。ノーファウルカップは下腹部と男性の急所を守るためのプロテクターです」

沢木はそう言いながら自分の股間を押さえた。耀子は目を逸らせた。

リング上の選手は小柄だった。

「ずいぶん小さい子ですね」

「試合は軽いクラスから行われます。これはモスキート級です。45キロ以下です」

45キロとは同じ年代の女の子よりも軽いじゃないと耀子は心の中で苦笑した。こんなに小さい子でもボクシングが出来るのかしら。それにしてもモスキート（蚊）とは、酷《ひど》いネーミングだ。

しかし試合が始まると、耀子の印象は一変した。両選手は激しいパンチを打ち合っている。とても女の子が打てるパンチではない。

互いに腹や顔を殴り合っている光景を目の当たり《ま》に見て、ぞっとした。グローブが体を叩く音がする。時々グローブ同士が当たって「パン」という大きな音を立てる。選手が動くたびにリングの床がどしんどしんと響く。安普請《やすぶしん》の部屋で暴れているような音だ。リングの両サイドからは、互いの高校の部員たちが大きな声で何やら怒鳴り合っている。

――何よ、これ。いつの時代の光景なの？

自分がタイムスリップして妙な世界に入り込んでしまったような気がした。

リング上の二人は休むことなく、互いにパンチを打ち合っていた。

「全然止まることなく打ち合うんですね」

「アマチュアボクシングはそうですね」

「試合時間はどれくらいあるんですか？」

「1ラウンド二分。間《あいだ》に一分の休憩をはさんで3ラウンドやります」

「たったそれだけですか？」

「はい。でも、プロとは違って様子見なんかはありません。二分間フルに打ち合いますから、ある意味プロよりもきついですよ」

そうかもしれないと思った。まるで百メートルを全力疾走しているような激しさだ。

「アマチュアボクシングはクリーンヒットの数を競いますから、手数《てかず》が勝負です」

リング上の両者は互いに打ち、打たれつつも間断なくパンチを出し続けている。もうどれだけパンチを繰り出したことだろう。よくスタミナが持つものだ。見ている方が疲れてくる。

ゴングが鳴り、1ラウンドが終わった。両者がコーナーに戻る。セコンドが椅子を出して選手を休ませる。

「赤コーナーが優勢ですね」

沢木の言葉に耀子は驚いた。あんな激しい打ち合いの中でどちらのパンチが多く当たったかなんてどうして数えられるのだろうか。

二人の選手とも肩で大きく息をしていた。セコンドに付いているコーチの先生が身振り手振りで指示を与えている。選手はうなずきながらそれを聞いている。

リングアナウンスが「セコンド・アウト」と告げる。その声にセコンドがリングを降りた。まもなくゴングが鳴って、両選手がコーナーから飛び出した。

二人の選手は再び激しく打ち合った。これは「蚊」のパンチじゃない。

突然、レフェリーが試合を止め、一人の選手に何やら注意を与えた。

「何を言ってるのですか？」耀子は小さな声で沢木に尋ねた。

「バッティングの注意です。頭を自分のつま先より前に出しては駄目なんです。頭が相手選手の顔にぶつかる危険があるから。バッティングで目に当たったりしたら、まぶたがパックリ切れることもあります」

レフェリーは「ボックス！」と言って試合を再開させた。

「ボックスって、何ですか？」

「戦え、という合図です。昔はプロの試合ではファイトと言うてましたが、今はプロもボックスと言います」

「どうしてボックスなんですか？」

「英語の『box』という言葉には、『ボクシングする』という動詞の意味があるんです。その命令形ですから、正しくは『ボクシングしろ』ということですね」

耀子は、へえと思った。英語教師なのに知らなかった。

レフェリーがまた試合を止めて、一方の選手に何か注意を与えた。

「今度は何ですか？」

「インサイドブローの注意ですね。パンチはナックルパート——ほら、グローブに白く色を塗ってる部分があるでしょう。その拳《こぶし》の正面のところで打たないといけないんです。グローブの内側で打つインサイドブローは反則です。バックスイングしてグローブの背で打つのも、空手チョップみたいに打つのも反則です。当たり前ですが、肘《ひじ》打ちも反則です」

「殴ればいいというもんじゃないんですね」

沢木は笑った。

「あとグローブを開いて打つのも反則です。グローブの親指で目を突くのはサミングと言うて重大な反則です」

「グローブは革ですか？」

「人工皮革ですね。中にスポンジが入っています。ちょっと前までは牛の革の中に馬の尻尾の毛を詰めたものを使っていましたが――あ、鼻血が出ましたね」

見ると、一人の選手が鼻血を流している。最初は一筋流れているだけだったが、そこにパンチが当たり、血はみるみる広がって鼻から下は真っ赤になった。

そんな光景を初めて見る耀子は気持ちが悪くなった。ゴングが鳴り2ラウンドが終わった。

「血が流れても試合を止めないんですか？」

「顔が切れて出血するとドクターストップになりますが、あの程度の鼻血くらいでは止めません」

あの程度って――。ユニフォームにも血が飛び散ってるじゃない。ボクシングやる人にとっては「あの程度」なのね。

3ラウンドも同じような打ち合いが続いた。鼻血は止まったらしく両選手とも闘志を鈍らせることはなく、最後まで打ち合った。

試合が終わって、レフェリーがリングサイドに座っている三人のジャッジからメモのようなものを受け取った。

「ジャッジペーパーです」耀子が質問する前に沢木が言った。「三人のジャッジペーパーのうち二人以上が支持した選手がポイント勝ちになります」

レフェリーはジャッジペーパーを確認し、審判席の人に渡した。

「あれは誰ですか?」

「ジュリーです。審判長です」

ジュリーはジャッジペーパーに何かを書き入れ、隣の女性に渡した。女性は渡された紙を見ながらマイクを手に持った。

リング中央ではレフェリーが両選手を自分の両側に立たせて、それぞれの手首を握っている。

「ただ今の試合、勝者、赤コーナー——」

マイクの女性が言いかけたところで赤コーナーの応援団が歓声を上げた。

「——関西商大付属高校の中村君」

レフェリーが赤コーナーの選手の手を上げた。

両選手は向き合って互いに軽くグローブを合わせた。さっきまで力一杯殴り合っていた男同士が互いに健闘を称《たた》え合っている姿に、耀子は少し感動した。ボクシングはケンカじゃないんだ、スポーツなんだと思った。もしかしたらすごく爽やかなスポーツなのかも。

しかしリングから降りてくる敗者の姿を見た途端、そんな思いはさっと吹き飛んだ。その選手は顔をくしゃくしゃにして泣いていた。目のまわりが紫色に腫《は》れ、顔には鼻血の痕《あと》があり、切れた唇からは血が流れていた。同じ高校の選手がタオルでその血を拭っている。

これがボクシングか——全然、爽やかなスポーツじゃない。

「すごいですね、ボクシングって」

耀子は沢木に言った。沢木は満更でもなさそうにうなずいた。

「サベッジって感じですね」

「サベッジって？」

「野蛮なとか凶暴なとか残酷な、って意味です」

「そうですか」沢木は少し意外そうに言った。「軽量クラスですから、残酷なという感じはないですね。お互いに軽いパンチでしたし——」

「それに、技術的にはまだまだでしたね。いい選手の試合はもっとレベルが高いですよ。それに上のクラスに行くほど迫力も増します」

沢木の言う通りだった。

次のライトフライ級の試合はモスキート級よりも一段とパンチの迫力があった。48キロの男からくり出されるパンチの音はモスキート級よりも大きかった。「たった3キロの差」がボクシングの世界では大きな差だというのを実感した。

ライトフライ級の試合が二試合続いて、フライ級の試合になった時、迫力はさらに増した。これも「蝿」のパンチではないと思った。

その試合で驚かされたのは、観客席の母親が息子の名前を連呼しながら応援していたことだ。

「行けータクミ！　打って、打って！」

母親が必死の形相で叫んでいた。

「ああいうのは普通なんですか？」耀子は沢木に訊いた。

「たまにいますよ。最近は増えました。どういうわけか声出して応援するのは父親よりも母親の方が多いですね」

耀子にとってはすべてがカルチャーショックだった。

また少し気分が悪くなってきた。男同士が殴り合うという非日常の世界を見て悪酔いしたようだ。

「どうしました？」

沢木が耀子の様子を見て声をかけた。

「何だか、迫力に圧倒されて、疲れました」

「初めてそばで見たら、びっくりするでしょうね。アマチュアボクシングとはいえ、テレビで見るのとは全然違うでしょう」

「ええ、パンチが当たる時って、あんなにすごい音出るなんて知りませんでした」

沢木はうなずいた。

「でも、ノックアウトってないんですね」

「アマチュアですから、ヘッドギアをしてるし、グローブが大きいですからね」

「グローブが大きいと倒れないんですか？」

「中の詰め物が多くなりますし、パンチのスピードも落ちるから、衝撃度は減ります。だからプロみたいに派手なノックアウトはあまりありません。その代わりＲＳＣはありますけどね」

「ＲＳＣって？」

「レフェリー・ストップ・コンテストの略です。高校生の場合は１ラウンドに二回ダウンを取られると自動的にＲＳＣ負けになります。プロのＴＫＯ——テクニカル・ノックアウトみたいなものです。ＫＯに近いですね。アマの場合は倒れなくても、レフェリーが効いたと見なせばダウンを取ります。スタンディングダウンと言います。今日はまだＲＳＣは一度もありませんが、上のクラスになるとありますよ」

「そうなんですか」

「少し休みますか？」

「はい、ちょっと廊下に出ています」

耀子は会場を出て、廊下にあった自動販売機でミネラルウォーターを買った。冷たい水が喉を通ると少しすっきりした。

それにしても——と耀子は思った。何という野蛮な世界だ。

「先生、もうすぐ、鏑矢の試合が始まります」

木樽が廊下にやって来て耀子に声をかけた。耀子は小さなため息をつくと、ペットボトルを持ったまま会場に入った。

リングでは知らない選手が戦っていた。木樽が説明した。

「あれもフェザー級の選手です。このあと、鏑矢が出ます」

フェザー級――「羽」のクラスか。勇壮な名前ではないが、何となくかっこいいネーミングだなと思った。少なくとも「蚊」や「蠅」よりはいい。

リングの上で戦う二人はモスキートやライトフライより二回りくらい体が大きかった。両選手とも170センチ前後はあるだろう。パンチも今までよりはるかに迫力があった。鏑矢はこんなクラスで戦うのだ。不意にウドンを鼻につめている鏑矢の顔を思い出した。あんなふざけた子が本当にちゃんと戦えるのだろうか。

「鏑矢君は準決勝まで勝ち上がってきたんでしょう」

耀子は木樽に聞いた。

「先週二連勝しています」

「今日も勝ちそう?」

「勝つと思います」

鏑矢の一つ前のフェザー級準決勝の試合が終わった。勝者は少し鼻血を流していた。苦しそうな顔をしていたが、仲間たちに祝福され、ようやく笑顔を見せた。

赤コーナーのリング下に鏑矢が立って、部員の一人にヘッドギアをつけてもらっていた。その周囲に沢木先生と他の部員たちがいる。鏑矢が笑いながら何か言ってるのが見えた。

あの子ったら、ぎりぎりまで冗談言ってる。緊張ということを知らないのかしら。鏑矢がリングに上がると、リングサイドに急に人が増えた。「鏑矢だぞ」という声が聞こえた。

「鏑矢君て有名人なの?」

耀子は木樽に小さな声で訊いた。

「そうみたいですね」

鏑矢がリングに上がってグローブをつけている。レフェリーが両選手をリング中央に呼んだ。二人はグローブを合わせた。

「あれは?」

「試合前の挨拶みたいなもんです」

鏑矢がコーナーに戻って来た。

「いよいよです」

木樽の声が少し震《ふる》えていた。耀子もにわかに緊張してきた。

ゴングが鳴ると同時に、鏑矢は飛び跳ねるようにコーナーから出た。耀子はそれを見てはっとした——このリズム、見た覚えがある。

二人の選手がリング中央に来た途端、相手選手の右パンチが鏑矢を襲った。鏑矢は軽く首を振ってそのパンチをかわした瞬間、右で相手の顔を打った。相手はよろけてリングに片膝をついた。耀子は思わず「あっ」と声を上げた。この日、耀子が初めて見たダウンシーンだった。

膝をついた選手はすぐに立ち上がったが、レフェリーはカウント8まで数えた。選手は両手で構えるポーズを取った。レフェリーは彼にグローブを拭くように指示した。彼は自分のシャツでグローブを拭いた。

レフェリーが「ボックス！」と言うと、試合が再開された。

鏑矢はまた飛び跳ねるように相手選手に近付くと、左手で何度も相手の顔を突くように叩いた。

「ジャブです」という木樽の声が聞こえた。

相手選手が鏑矢の顔面を目がけて右を振り回した。鏑矢はしゃがんでよけると、左手で相手の腹を叩いた。鈍い音がして相手選手の体が曲がった。鏑矢はもう一度左で腹を叩いた。相手選手はそのましゃがみ込むように倒れた。

「鏑矢の勝ちです」木樽が興奮した声で言った。「1ラウンドに二度のダウンがあると、試合は終わります」

耀子は黙ってうなずいた。

レフェリーはカウント8まで数えてから、試合を止めた。

「RSC勝ちです」

木樽が嬉しそうに言った。試合は1ラウンドわずか数十秒で終わった。

耀子は風を見たと思った。いつか環状線の車内で見た同じ風だ。

気が付けば体が小さく震えていた。何なのこれは？

耀子はしかしこの心と体の震えを感動とは思いたくなかった。こんな野蛮な殴り合いを見て、感動するはずがない。

——ただ、びっくりしただけよ、と自分に言い聞かせた。現実に人が殴り倒されるのを間近に見て、驚いて興奮してしまっただけだわ。

廊下に出てもしばらくは動悸がおさまらなかった。

そこに木樽がやって来た。

「先生、どうでした？」

「どうって？」

木樽の問いに耀子はとぼけたように言った。

「鏑矢ですよ。すごかったでしょう」

「ああ」と耀子は言った。「彼ね。たしかに強かったわね」

「でしょう。いきなり右一発で倒してしまいましたもんね。本当に強いでしょう、あいつ」

木樽は自慢するように言った。

「先週の二試合も1ラウンドでRSC勝ちなんです」

「でも、対戦型スポーツの強さって、相対的なものでしょう」

「えっ」

「陸上競技みたいなものだと、記録という数字があるから強さも絶対的だけど、対戦型スポーツの場合はその選手同士の差でしょう。だから相手が弱ければ相対的に強く見えるんじゃないかしら」

「鏑矢の相手が弱かったっていうことですか?」

「そうは言ってないけど、私みたいな素人には彼の強さはわからないということ。RSC勝ちと言っても、鏑矢君がすごく強かったっていう見方も出来るかもしれないけど、逆に相手がすごく弱かったっていう見方も出来るでしょう」

木樽は小さくうなずいた。「先生の言うことよくわかります。たしかにボクシングの強さって相対的なものですね」

耀子は心の中で、違うわと思った。私は理屈をこね回している。本当は木樽君と同じように感じたのだ。鏑矢君は強いって——。それは理屈じゃない、直感だ。

「みんなが鏑矢の噂をしてました」と木樽は言った。「他校の部員たちもすごいって——」

「注目の人なのね」

鏑矢はこのバーバリアンな連中の期待のニューフェースというわけか、と思った。どこの世界にもその分野のアイドルがいるものだわ。

「稲村に勝てるかもしれないと言ってました」

「稲村って？」

「よく知りませんが、ものすごく強いのがいるらしいです。日本一らしいです」

「どこの世界にも上には上がいるのよね。大阪でナンバー1なんて言っても、所詮はローカルだもんね」

「稲村は大阪の選手なんです。この後、彼の試合があるらしいです」

「フェザー級じゃないのね」

「ライト級です。モンスターと呼ばれてるそうです」

耀子は見てみたくなった。

「今から始まるの？」

「ライト級の二試合目ですから、もうすぐやと思います」

耀子は木樽と一緒に再び会場に入った。

ちょうど両選手がアナウンスされているところだった。稲村はこの会場となっている玉造高校の生徒だった。名前を読み上げられた途端、大きな声援が起こった。

青コーナーに立つ稲村は鏑矢よりも一回り以上大きく見えた。背も高かったが、それよりも体つきが鏑矢よりもずっとがっしりしている。

「ライト級って何キロなの？」

「フェザー級の一つ上のクラスですから、60キロがリミットだったと思います」

たしかフェザー級のリミットは57キロと言っていた。たった3キロの差でこんなに体の大きさが違って見えるものなのか。何が「ライト」なものか。

「階級が違っても戦えるの？」

「それは駄目みたいです。でも鏑矢は今は痩せていても、これから肉がついてくるから、近いうちにライト級に上がるだろうという噂です。あいつ、まだ十五歳ですから」

「稲村君というのは何年生？」

「二年生です。でも去年は一年生なのにインターハイと国体と選抜の三冠を制したそうです。高校に入ってまだ無敗ということです」

耀子はもう一度リングの上の稲村を見た。ヘッドギアの隙間から見える顔は、とても十六、七歳の顔じゃない。モンスターというあだ名がわかるような気がした。目つきがただものじゃない。まるで今から人でも殺しそうな目だ。

耀子は恐怖を感じた。強面《こわもて》の不良高校生なんかの見せかけの怖さではない。肉食動物が持つ野生の恐怖だ。

「怖いわ、あの子」

木樽も黙ってうなずいた。

稲村の相手選手は試合前から萎縮している感じだった。それは耀子にもはっきりわかった。

ゴングが鳴って試合が始まっても、完全に腰が引けていて、闘志が感じられなかった。稲村が接近すると、体を丸めてずるずると後退した。

可哀相に、と耀子は思った。あんな狂人みたいな目をした選手と戦うのは誰だって嫌だわ。あの子、まるで野獣の檻《おり》に入れられたみたいじゃない。

「あーあ、見てられへんなあ」

突然、後ろから声が聞こえた。振り返ると、鏑矢があくびをしながら立っていた。既にヘッドギアを外し、上半身にはトレーナーを着ていた。

リングでは稲村が相手をコーナーに追い込んでいた。相手選手は両方のグローブで顔を覆って、稲村のパンチを防いでいたが、自分からはほとんど手を出さなかった。

突然、レフェリーが試合を止め、相手選手に何やら注意を与えた。

「何か怒られてるの?」耀子は木樽に聞いた。

「戦えって注意されたんや。アマボクは戦わへんかったら、減点喰らうんや」

鏑矢が退屈そうに言った。

レフェリーの「ボックス!」という声で試合が再開された。稲村が相手に近付いた。相手選手も今度はパンチを出した。しかしすぐに稲村のパンチに圧倒されて、ロープに詰まった。稲村の下から突き上げるようなパンチに顔面をガードしていた手を弾かれた。一瞬無防備になった顔面に稲村のパンチが炸裂した。相手選手の首が横向きになった。レフェリーが両者の間に飛び込んだが、パンチを受けた選手はそのまま前のめりに倒れた。周囲からため息ともつかない声が漏れた。

それでも何とか立ち上がったが、レフェリーは試合を止めて、稲村のRSC勝ちを宣告した。

「どうして、ダウン一回なのにRSCなの？」

耀子の質問に木樽も首をかしげた。

「力が違いすぎるから」

鏑矢が面白くなさそうに言った。「こらあかんとレフェリーが判断したら、一回もダウンなくてもストップされるねん」

耀子は稲村がパンチを打った時、相手選手の口からマウスピースが半分飛び出たのを思い出した。あんなパンチを目の前で見たら、誰だって試合を止めたくなるわ。

「ほんま、たるい試合やで」

鏑矢は言った。「あんな見え見えのパンチ喰《く》うて。俺やったら、右が来る前に左フックを叩き込んだったのに」

鏑矢はそう言いながら左手で目の前の空気を打った。ビュッという鋭い音がした。

この子ったら、さっきのシーンを見ても平気なの。多分鈍感だから恐怖心も少ないんだわ。想像力というものがないのかも。耀子はそう思いながらも、なぜか鏑矢を頼もしく思った。

その時、リングを降りた稲村が鏑矢と耀子がいるすぐ前を通った。ヘッドギアを外した稲村は意外にも整った顔をしていた。しかしその顔には甘さは微塵《みじん》もなく、なまじハンサムなだけに余計凄みがあった。背は鏑矢より頭半分高かった。

稲村は鏑矢の姿を見付けると、足を止めた。そして無言で鏑矢を睨み付けた。その目の光は音を放ったようにも思えた。鏑矢もまた稲村の視線を受け止めて、睨み返した。耀子は二人の睨み合いを見て、視線から火花が散るって本当なんだと思った。

2メートルほどの空間がピンと張りつめた。周囲の者も一瞬シーンとなった。耀子は二人の間に挟まれた恰好で、金縛りにでもあったかのように動けなくなった。

稲村は再び前を向くと、鏑矢に背を向けて歩き出した。鏑矢は小さく息を吐いた。

「思いきりメンチ切ってきやがった。今からもう一試合やらなあかんのかと思たで」

鏑矢は冗談口調で言ったが、顔は笑っていなかった。

「何言うてるのよ。こんなところでケンカなんか出来るはずないでしょう」

そう言いながら耀子はいつかこの二人が戦う日が来るような気がした。鏑矢が風だとすれば、稲村は大きな岩だ。風と岩が戦えばどちらが勝つのだろうか。

耀子にはどちらも敗者になる光景が想像出来なかった。

帰り道、耀子は木樽と一緒に森ノ宮駅まで歩いた。鏑矢は沢木監督や他の部員たちとミーティングがあるということだった。

「明日、勝ったらインターハイ全国大会に行けるそうです」木樽が言った。

耀子は鏑矢の試合の前に行われたフェザー級のもう一つの準決勝の勝者を思い出そうとしたがうまくいかなかった。しかし鏑矢のような強さはなかったようにも思えた。

「多分、行けるんじゃない」

「ぼくもそう思います」

木樽はまだ幾分興奮気味だった。耀子は少し疲れを感じた。

「ねえ、どこかでお茶でも飲んでいかへん？　奢《おご》るよ」

木樽の顔がぱっと明るくなった。

二人は駅の近くの喫茶店に入った。

「先生は明日も来ます？」

「明日は用事があるから無理。あなたは行くの？」

「はい」

「じゃあ、私の分も応援してきて。鏑矢君が全国大会に出場出来たら学校にとっても名誉なことやから」

「ボクシング部からインターハイ出場は六年ぶりらしいです。行けたらですけど」

「そうなの」

「昔は――二十年前くらいは恵美須高校も強かったらしいですけど、最近はずっと低迷が続いているみたいです。沢木先生が言ってました」

その話は耀子も聞いていた。かつてはインターハイの全国大会優勝者も出したことがあるはずだ。しかしここ数年は部員数も減り、学校では廃部にしたいくらいのお荷物クラブになっていた。部員は少ないのに、結構広い練習場を取っているからだ。しかし今そんな話を木樽にしても仕方がない。

「ぼくもボクシングをやろうかなと思ってるんです」

不意に木樽が呟《つぶや》くように言った。

「あなたが？　あんなスポーツをするの？」

「前から鏑矢に誘われているんです」木樽は照れたように言った。

「あなたには向いてないんと違うかな」

木樽が顔を赤くするのを見て、耀子は慌てて言った。

「強くならないっていう意味やないよ。何て言うか——木樽君のイメージに合わないと思うという意味よ」

「鏑矢は違うこと言うてました」

「何て言ってたの？」

「お前は強くなるって。俺が教えたら大阪ナンバー2になれるって——」

「どうしてナンバー2なの？」

「鏑矢がナンバー1だから」

耀子は呆《あき》れた。

「それに、ボクシングはめちゃくちゃ面白《おもろ》いって。あんなに面白いもんはないって——」

「ちょっと違う話をしてもええ？」

「はい」

「私は碁をやってたんだけど」

「碁って、囲碁ですか？」

「うん、小学校の時に父に無理矢理やらされて。最初は嫌だったんだけど、中学の時には好きになって、高校の時は全国大会にも出たことがあるのよ」

「すごい！」

「とにかく碁というものが面白くてたまらなくなって、今でもたまに打つことがあるんだけど、今まで親友には一度も勧めたことはないわ」

「どうしてですか？」

「それはね——そこまで好きになるのにすごく苦労したから。碁の面白さを味わえるようになるまでは大変な苦労をするのがわかっているからよ」

「なるほど」

木樽は深くうなずいた。「なら、なんで鏑矢の奴はぼくを誘ったんでしょう？」

「自分が簡単に出来たから、他人も簡単に出来ると思ってる。自分が面白いと思うものは他人も面白いと思うに違いないと疑わない——子供にはよくあることよ」

木樽は黙っていた。

「あの子にはもしかしたらすごい才能があるのよ。それは私も感じた」

耀子は先ほどの自分の言葉と矛盾したことを言ってるのに気付かなかった。

「でもね、そんな子の言うことを真《ま》に受けるのは考えものよ。よく考えて」

木樽は黙ってコーヒーを飲んでいたが、急に顔を上げて言った。

「先生。あの時、助けてくれたのが鏑矢やなくてぼくやったらよかったのにって言うてたでしょう。あれはどういう意味やったんですか」

耀子は返事に困った。そう言ったのは、自分を助けてくれた少年があんな下品なバカでがっかりしたという意味だったが、木樽は別の意味で受け取ったらしかった。

「ぼくも、先生を助けたのがぼくやったらよかったのにって思いました。そやけど、ぼくは怖くてたまりませんでした。あの時、必死で鏑矢を止めていました。何でかというと、鏑矢が負けるかもしれへんと思たからです。そしたら、ぼくも巻き添えくってやられるって――」

「木樽君――」

「せやけど、あいつは自分が負けることなんか全然考えてへんかった。それは多分、あいつの性格やと思うけど、あんな風になれたら、どんなに素敵かと思て――」

耀子はそれは素敵とは言わへんわと言いかけたが、黙っていた。

「先生も素敵やと思いませんか？　あんな風に五人も相手にして、絶対に自分が負けるはずがないって思うこと。もしかしたらそれは錯覚かもしれへんけど、その錯覚を疑いもせずに行動出来る男って、やっぱり素敵やと思うんです。きっと――女の人から見ても、素敵な男に見えると思うんです」

言いながら木樽は顔を赤くした。

第4章　事件

翌日の日曜日、優紀はインターハイ大阪予選の決勝戦を見に行った。

試合は朝、十一時から始まった。全部で九試合が行われた。軽いクラスから、モスキート、ライトフライ、フライ、バンタム、フェザー、ライト、ライトウェルター、ウェルター、ミドルの九試合だ。このうち最軽量のモスキート級と最重量のミドル級を除く七つの階級では、この大阪予選で優勝すればインターハイ出場の権利が与えられる。モスキート級とミドル級は選手層が薄いため、近畿大会で勝ち抜いて初めてインターハイの出場権が与えられることになっていた。

鏑矢の相手は伊丹という選手で玉造高校の三年生だった。昨年のインターハイ出場者で、ベスト16になった強豪だ。

大阪では朝鮮高校（大阪朝鮮高級学校）と並ぶボクシング強豪校の玉造高校の部員は三十人以上いて、応援も凄かった。伊丹がパンチを繰り出すたびに大きな歓声が上がった。

試合もいきなり伊丹が攻め込み鏑矢が守勢に回るといった展開になり、玉造高校の歓声はさらに上がった。

「伊丹先輩、いいですよ」

「よっしゃあ！」

「その調子です！」

優紀は大きな声援が起こるたびに、鏑矢が打たれたのかと思った。優紀の位置からは、動きもパンチも速すぎて当たっているのかどうかもわからない。

しかし試合開始三十秒過ぎに、空振りしてバランスを崩した伊丹の顔に鏑矢の左パンチが飛んだ。伊丹の顔が揺れるのがはっきり見えた。一瞬動きの止まった伊丹に、鏑矢はさらに左手を「く」の字形に曲げてパンチを打った。伊丹の膝が揺れ、レフェリーがダウンを取った。玉造高校の声援がやみ、場内は静かになった。

試合が再開されて十秒後、鏑矢はまた左パンチで伊丹からスタンディングダウンを奪い、ＲＳＣ勝ちした。

鏑矢はインターハイ出場をわずか一分で決めた。

この日、九階級のうち朝鮮高校と玉造高校が仲良く三階級ずつ制し、関西商大付属高校と長居《ながい》高校と恵美須高校がそれぞれ一階級ずつを制した。

決勝戦をRSCで勝ったのはフェザー級の鏑矢とライト級の稲村だけだった。

それ以外の七試合はすべて両選手がフルラウンド打ち合った戦いだった。二分3ラウンド、リング上の選手は止まることを知らない機関車の車軸のように、二本の腕でパンチを打ち続けた。互いにいいパンチをもらっても決して怯《ひる》むことなく戦いをやめない。優紀はその勇気と力は凄いと思った。鏑矢の相手の伊丹でさえも、ダウンを奪われても闘志はいささかも衰えることはなかった。レフェリーに止められなければ、絶対に戦い続けたはずだ。

九つの試合を見終えた優紀は、自分にはやはりボクシングは向いていないと思った。昨日、生まれて初めて生で見たボクシングの試合、そして鏑矢の圧倒的な勝利に興奮して、思わず自分もやってみたいと思ったが、あらためてじっくりボクシングを観戦してみると自分には縁のないスポーツであることがよくわかった。昨日は憧れの高津先生と一緒にいたから、そんなことを思ったのかもしれない。高津先生の目に、鏑矢のような強い男として映りたかったのだ。

自分には入ることの出来ない世界と諦めたことで、より一層鏑矢が輝いて見えた。

翌日の月曜日、朝礼の挨拶の後で、校長が「嬉しいニュースです」と切り出した。

恵美須高校は毎週月曜日に校庭で全校生徒が集められて校長の訓辞と、生徒たちの活動報告が行われていた。

「先週行われたボクシングのインターハイ予選で、ボクシング部の一年生部員が見事優勝を飾り、全国大会出場を果たしました」

校長はそこで言葉を切り、「一年八組の鏑矢君です」と言った。朝礼台の下に待機していた鏑矢が階段を駆け上がり、校長の横に立った。

「鏑矢君、優勝おめでとう」

鏑矢はぺこりと頭を下げた。教職員たちの拍手に続いて全校生徒から一斉に拍手が起こった。

優紀は壇上に立つ友人の姿が誇らしかった。周囲の者に、あいつはぼくの親友なんやと自慢したい気持ちだった。

「ボクシングというのは厳しいスポーツなんでしょう」

校長がマイクを鏑矢に向けると、彼は元気よく「はい」と答えた。

「予選はどんな戦いでした？」

「苦しい戦いの連続でした」

鏑矢の答えに校長はうんうんとうなずいた。

「決勝の相手は昨年のインターハイ優勝者でした。めっちゃ強かったです」

居並ぶ生徒たちから、ほおっという声が起きた。校長も驚いたようだった。しかし優紀はもっと驚いていた。なんという嘘をぬけぬけと。

「1ラウンドに一回、2ラウンドに一回ダウンを奪われましたが、絶対に負けてたまるかと思《おも》て、最終回に逆転ノックアウトで勝ちました」

全校生徒が、おおっ！と声を上げた。「それはすごい！」校長も興奮して大きい声を出した。

「それじゃあ、優勝候補ですね」

「いえ、全国にはまだまだ強豪がいます。さらに精進するだけです。勝って兜《かぶと》の緒《お》を締めよ、です」

校長は感激して鏑矢の手を取った。そして生徒たちの方を向いて、「皆さんも鏑矢君を応援してください」と言った。全校生徒から拍手が起こった。優紀は苦笑しながら手を叩いた。

昼休み、廊下を歩いていた優紀は高津先生に呼び止められた。

「鏑矢君てすごいのね。決勝の相手は去年のインハイ・チャンピオンだったのね」

「嘘ですよ」

高津先生は、えっという顔をした。

「去年のインターハイ出場者ですけど、ベスト16です」

「呆れた――。よくもまああんなところで堂々と嘘言《ゆ》うわね」

「悪気はなかったと思いますよ。皆を楽しませようと思ったんでしょう」

「逆転ＫＯは本当なの？」

「それも嘘ですよ。あいつは1ラウンドに二回ダウン取って圧勝しました」

「どうしようもないクソガキね」

高津先生はそう言いながらも笑っていた。

その夜、部屋のベッドにごろ寝してると、突然、携帯電話が鳴った。ディスプレイには登録していない電話番号が表示されていた。

「こんばんは、小池です」

女の声だった。優紀は同じクラスに小池という女生徒がいたのを思い出した。

「うちのクラスの小池さん？」

「はい」

彼女とは何度か教室で話したことがあった。可愛い顔をしていて男子生徒の間でも人気が高かった。勉強は特進クラスの中でもよく出来、優紀と同じく授業料免除組だった。しかし会話を交わしたことがあるといっても挨拶程度のものだった。

優紀が何の用と訊く前に小池から、「今、喋れる？」と訊いてきた。

「うん」

しかし小池はすぐに用件を切り出さなかった。少し沈黙があった後、彼女はいきなり「明日の放課後、何か予定ある？」と聞いた。

「特に予定はないけど、何かあるの？」

電話の向こうで深呼吸するような間《ま》があった。

「明日、梅田のタワーレコードにCD買いに行きたいんやけど、よかったら付いて来てくれないかなあと思ったりして——」

「なんで？」

小池はまた少し黙った。優紀は、なんでなんて言うんじゃなかったかなと思った。

「かまへんよ」と優紀は言った。

「本当に？」

彼女の声が一オクターブ高くなった。優紀は「うん」と答えながら、これは一応デートの誘いなのかなと思った。

優紀は後に、あの時彼女の誘いを断っていたらどうだったろうと繰り返し述懐した。もしかしたらボクシングに深く関わることはなかったかもしれない——。

しかしこの時はそんなことになるとは思いもしなかった。

「ほな、明日」

小池は「うん」と答えた。

電話を切った後、小池は自分に好意を持っているのかなと思った。彼女は綺麗な顔立ちをしていたから男子生徒に人気があったが、優紀自身は別に何とも思っていなかった。彼女の下の名前は何だったのかと考えたが、思い出せなかった。学級名簿を取り出して見ると「美香」という名前だった。小池美香か、と優紀は呟《つぶや》いた。

優紀はもう一度ベッドに横たわった。自分が女生徒から恋の対象として見られていることにおかしな感じがした。

中学時代から女の子にもてたという記憶はない。むしろクラスの女生徒からはガリ勉という風に見られていた。特に転校した中学はどちらかと言うと「柄《ガラ》の悪い」学校で、優紀のような勉強の出来る生徒がクラスの尊敬を勝ち取る雰囲気はなかった。むしろ優紀はクラスでも浮いた存在だった。

恵美須高校の特進クラスに入って本当によかったと心から思った。クラスに授業料免除の生徒は五人いるが、その中に入っていた優紀は最初から皆に敬意のこもった目で見られていた。ここでは勉強の出来ることが揶揄《やゆ》や冷やかしの対象にならず、純粋に尊敬に値することとして認められている。そのことが嬉しかった。

次の朝、小池と教室で顔を合わせた時、やあと挨拶したが、小池は反応しなかった。というか無視する感じだった。その日、何度か目を合わせても、小池の表情は全然変わらなかった。

もしかしたら昨日の電話は小池ではなくて誰かのいたずらなのかなという気がしてきた。別にそれでもいいと思った。

放課後、靴箱に履き替えた上履きを入れていると、後ろから「駅で待ってるね」という小さな声がした。振り返ると、足早に通り過ぎていく小池の姿が見えた。

学校の最寄りの駅はJR環状線の新今宮駅、南海線の今宮戎《いまみやえびす》駅、地下鉄の恵比須《えびす》町《ちょう》駅、動物園前駅など、徒歩数分以内にいくつもある。小池の言った駅がどの駅なのかわからない。優紀は仕方なくいつも自分が使っている地下鉄御堂筋線の動物園前駅の方に向かって歩いた。

　すると地下鉄の改札の前に小池美香は一人で立っていた。

「小池も地下鉄やったの？」

「御堂筋線は朝めっちゃ混むから、いつもは環状線使ってる」

「家はどこなん？」

「尼崎《あまがさき》」

「ほんならJRで行こう」

　小池は、「ええねん」と言うと地下鉄の自動販売機で梅田までの切符を買った。環状線の定期があるのに申し訳ないなと思った。

　地下鉄の中で、小池は「今日は塾とかないの？」と訊いてきた。

「塾は行ってへん」

「木樽君てもともと頭がいいんやね」

「そんなことないよ。小池の方が勉強出来るやろう」

「私はついていくのに必死。特進クラスはしんどいわ」

「たしかに数学は異常に難しいしな」

この後、話題は今日の授業で出た二次関数の例題についてになった。これからデートする高校生にふさわしい話題ではなかったかもしれないが、優紀はむしろこういう話題の方が楽だった。多分、小池もそうだろう。

電車はまもなく梅田駅に着いた。

「どっちのタワーレコードにする？」

梅田のタワーレコードはマルビル店と最近出来た茶屋町店の二つある。小池は一度も行ったことがないからという理由で、茶屋町店に行くことになった。

小池はタワーレコードでコブクロと一青窈《ひととよう》のＣＤを買った。

「ありがとう。買い物に付き合わせて」

店を出て、小池は言った。「お礼にお茶を奢《おご》る」

「ええよ」

「そんなん言わんといてや」

「ほんならご馳走になるわ」

「ＭＢＳの方に歩いてみる？　ロフトもあるし」

茶屋町は若者の町だった。若者向けの新しい店が次々に生まれている。テレビ局のＭＢＳ（毎日放送）があることもあって、十代の少年や少女がいつもたむろしていた。そんな通りを制服で歩く優紀と小池はむしろ目立った。

ＭＢＳの方に向かって歩いている時、向かい側から歩いて来る三人組の少年の姿を見て優紀に緊張がはしった。

三人の男は中学の同級生だった橋本と落合と鎌田だった。この世で一番会いたくない人間だった。優紀は下を向き、彼らをやり過ごそうとした——しかしそれは出来なかった。

「よう」

声をかけられると同時に胸を突かれた。顔を上げると橋本の笑う顔が見えた。

「久しぶりやないか」

落合と鎌田もいやらしい笑いを浮かべている。優紀は足元が震えてくるのがわかった。中学時代に彼らから受けた理不尽な暴力の記憶が一気に甦った。大昔の記憶ではない。わずか二ヵ月前まで彼らと同級生だったのだ。

こんな人通りのある通りで何かされるとは思わなかったが、それでも当時の恐怖が甦った。

「この人たち、何？」

小池が不安そうに訊いた。

「中学時代の——友人や」

同級生と言うところを、つい「友人」と言ってしまった。

「友人が何で俺らを無視するんや」

橋本がおかしそうに言った。

「そんなことはないよ。気ぃつかんかったんや」

橋本はにやにや笑った。優紀もそれに合わせて笑おうとした。橋本の顔から急に笑いが消えた。

「舐《な》めとんのか！」

橋本は優紀の胸をどんと押した。よろけた優紀の目に小池の顔が見えた。恥ずかしさで顔が熱くなった。

「友人同士、ちょっと懐かしい話をしようやないか」

橋本が優紀の肩に手を回してきた。

「やめなさいよ。嫌がっているやないの」

小池が言った。彼女の言い方は優紀の恥ずかしさを一層募らせた。

「大丈夫や。こいつらとは友達やから」

「人、呼ぼうか」

「大丈夫やって！」

優紀は慌てて言った。それから橋本に向かって、「話は何なん？」と言った。

「ツレが待ってるから、早くしてくれよ」

橋本たちは何も言わず嫌な笑いを浮かべていた。優紀は心の中で、頼むからもう解放してくれと思った。

いきなり橋本が優紀の腹を殴った。優紀は胃に激痛を感じ、目の前が真っ暗になってその場にしゃがみ込んだ。

「誰にもの言うとんのじゃ、ボケ！」

うずくまった優紀の耳に、小池が「誰か、来てください！　暴力です！」と大きな声で叫ぶ声が聞こえた。その直後、顔を蹴られた。

「誰か！　誰か！」

小池美香の声が通りに響いた。橋本たちは足早に立ち去った。

優紀が立ち上がると、周囲には人だかりが出来ていた。鼻がぬるぬるしたので触ると、べっとりと血が付いた。顔を蹴られた時に鼻の中が切れたのだろう。

「木樽君、大丈夫？」

優紀は小池の顔を見られなかった。痛みではなく、恥ずかしさと屈辱に涙が出た。

通行人が遠巻きに自分たちを見つめているのがわかった。優紀は早くその場を逃れたくて、歩き出した。小池が慌てて追いかけた。

「あいつら、最低ね。どこの高校?」小池が言った。「学校に訴えてやろうよ」

小池が本当にそう思っているのか、優紀の惨《みじ》めな気持ちを逸らそうとして言っているのかはわからなかった。多分、後者だろうと思った。そう思うと余計に惨めな気持ちになった。

「どっかでお茶飲もう」小池が明るい声で言った。

「いや。悪いけど、今日は帰るわ」

小池が一瞬泣きそうな顔をした。

「私、何も気にしてへんよ」

その言葉は優紀の胸をさらにえぐった。

「悪いけど、帰るわ」

優紀はそう言うと、小池に背を向けて歩き始めた。彼女はもう追ってこなかった。

通りを歩きながら、すごい後悔に襲われた。女性を連れて歩きながら、無抵抗だった自分にものすごく腹が立った。怒りと恥ずかしさでどうかなりそうだった。

なぜ男らしく戦わなかったのか、と激しく自分を責めた。たとえ負けても戦うべきだった。通行人がいくらでもいた。やられてもめちゃくちゃにされることはなかっただろう。いや、たとえめちゃくちゃにされても勇敢に戦うべきだった！

その時、優紀の脳裏に鏑矢の姿が浮かんだ。――カブちゃんなら、きっと戦ったはずや！


翌日の昼休みに、優紀は一番に教室を飛び出すと、食堂で鏑矢を待った。

しばらくして鏑矢が同じクラスの友人たちと一緒にやって来た。

「カブちゃん――」

「おお、我が友、ユウちゃんやないか」

鏑矢は大袈裟《おおげさ》に両手を広げて言った。しかし笑わない優紀の顔を見て、にこにこした笑顔を消した。「どないしたんや？」

優紀は幾分緊張しながら言った。

「カブちゃんに、頼みがあるんや」

第5章　ジャブ

目覚まし時計が鳴った。午前六時だ。

優紀はベッドから起きると、ジャージに着替えた。自宅から歩いて数分の淀川の堤防まで行くと、軽くジョギングした。

堤防の上に登ると、朝の風が気持ちよかった。眼下に河川敷が広がり、その向こうには南側の梅田のビル群が見える。対岸の堤防までは約1キロある。

時計を見た。六時二十分だ。これから三十分走って、七時に家に戻る。

石の階段を下りて、河川敷のランニングロードを走る。しかし数分も走ると腹が痛くなってきた。肺と心臓が苦しくなってくる。走りながら腕時計を見た。昨日よりも苦しくなる時間が遅くなっている。初めて走った日は一分も経たないうちに苦しくなった。この二週間の間に、わずかずつではあるが、体力と持久力が付いてきている証拠だ。ボクシング部に入ってから、一日も欠かさず走っている。

入部した日、練習が始まって最初の縄跳びの十分ほどで吐いてしまい、動けなくなった。あの時、監督の沢木先生は何とも言えない情けないものを見るような目で自分を見ていた。あの時の惨《みじ》めな気持ちは忘れられない。

顧問の沢木監督は優紀の入部希望を聞いて、あまりいい顔はしなかった。

「君、今まで何かスポーツはやってた？」

サングラスが不気味だった。優紀が「いいえ」と答えると、監督はそうだろうなという風にうなずいた。

「ボクシングはきついよ。他のスポーツとはちょっと違うよ」

優紀はどう答えていいのかわからなかった。

「簡単やって。球技なんかよりよっぽど易《やさ》しいて」鏑矢が横から口を挟んだ。

「お前は黙ってろ」

沢木は鏑矢を睨《にら》み付けてから、優紀に言った。

「カブの奴が何を言《ゆ》うたのか知らんけど、君みたいな優等生がやるようなスポーツやないよ」

「そんなん言《ゆ》うたら、俺らアホみたいやんか」

鏑矢の言葉を沢木は無視した。

「ボクシングというのは互いの体を拳《こぶし》で打ち合うスポーツなんやで」

沢木は手で自分の顔と腹を指した。「それも相手の運動能力を破壊する目的で、人体の急所ばかりを狙って殴る。ダメージは軽くないし、ケガをすることもある」

それを聞いて少し怖くなった。

「ユウちゃんよう。びびることないで。要は打たれへんかったらええんや。ボクシングは打たせずに打つ――簡単なこっちゃ」

「ちょっと黙ってろ！」沢木は怒鳴った。「自分の練習しとけ」

鏑矢は、はいはいと言いながら、その場を離れた。

「親御さんは反対してないのか？」

「……はい」

監督は優紀の顔をじっと見て、「それなら、今日から、やってみろ」と言った。

「体操服は持ってるか？」

「体育の服ならあります」

「それでいい。うちのクラブは練習着は何でもええ。気に入ったTシャツでもトレーナーでも自由や。下もトレパンでも短パンでも何でもええ」

沢木は部員たちを目で示した。めいめいが好き勝手なTシャツやらランニングを着ている。下も短パンやスパッツだ。鏑矢は黒いTシャツと黒の短パンだった。

「あのう、グローブやリングシューズは？」

「グローブは買う必要はない。クラブのを使えばいい。リングシューズも――まあ当分買う必要はないやろう。運動靴で十分や」

監督がそう言ったのは、早く辞めることになるかもしれないと思っているからだと思った。でも鏑矢も練習では普通の運動靴を履いていた。

「何か必要なものはありませんか？」

「そうやな――。バンデージくらいは買《こ》うといたらええやろ。拳に巻く布や。まだいらんけど、サンドバッグを打つ時には必要になる。マウスピースも当分いらん。いるようになったら俺が言う」

「はい」

「あとは何もいらん。ボクシングは一番金のかからんスポーツなんや」

内心ちょっとほっとした。母に金銭的な負担はかけたくなかったからだ。

基礎練習のあと、沢木監督から基本の構えを教えてもらった。

「ボクシングは半身《はんみ》に構える。利き腕でない方の足を前に出す。やってみろ」

優紀は言われた通りにした。

「足は大体肩幅くらいに開くが、自分のスタイルに合わせて、それより広くしてもええし、狭くしてもええ。まあしかし最初のうちは肩幅くらいにしといたらええ。足はやや内股《うちまた》がええが、これも慣れてきたら、自分のやりやすいように変えろ」

「はい」

「膝は少し曲げる。足を突っ張ってたら、速い動きが出来へん。次は両腕を上げる。体は少し前傾姿勢」

優紀は体を前かがみにして両手を構えた。

「この時、右手の構えは特に大事や。拳を顎につけて、しっかりガードする。ここが空いてると相手の左パンチを喰う」

沢木は左手で軽く優紀の右の顎を叩いた。優紀は慌てて右拳で顎を守った。

「右手を上げすぎると、腹が空く」

沢木は左手で優紀の右脇腹を軽く叩いた。

「ここにはレバーがある」

「レバーって何ですか？」

「肝臓や。相手は左パンチでここを狙ってくる。ここにパンチをもらうと、全身が痺《しび》れるぞ」

俯《うつむ》いて自分の右脇腹を見た。そうか、肝臓というのはこんなところにあるのか。

「レバーは右肘《ひじ》でガードする」

言われた通りに右肘で肝臓のあたりをカバーした途端、沢木が左手で優紀の空いた顎を軽く叩いた。

「顎！」

いつのまにか顎が空いていた。優紀が慌てて右手を上げると、今度は空いた右脇腹を叩かれた。「レバー！」

自分の右腕で顎とレバーの二つを同時に守るのは無理だと思った。沢木はその気持ちを察したのか、にやっと笑った。

「両方守るためには、顎をしっかり引いて、体を少し曲げる」

言われたようにすると、顎とレバーが右手一本でカバー出来た。

「それが基本的な構えや。ええか、右手を顎につけるのは絶対に忘れるな。どんな時でも右手はしっかりと顎につけてろ」

「はい」

「それと左手もなるべく高く上げて構えろ。左手の拳を下げてると、相手の右パンチを顔にもらうぞ」

言われたようにしっかりと構えた。沢木監督はじっと見ていたが、不意に優紀の左肩を手で内側に押した。優紀は前につんのめった。

「体を前に傾けすぎや。バランスが悪いから、前のめりになる」

優紀は前傾姿勢を修正した。今度は左肩を外側に押され、後ろによろけた。

「もう少し前に構える」

「はい」

「ちゃんとした構えになると、少しくらい押されてもぐらつかへん。このバランスいうのはものすごく大事なんや。自分が一番しっかり安定する構えを見つけるんや」

堤防の上を三十分走り終えた。

草の上に体を横たえると、心臓がばくばくしていて、肺が破裂しそうだった。しかし昨日よりも走った距離が延びている。初日はほとんど歩いているような状態だったのが、曲がりなりにも歩かずに走り切ることが出来るようになっていた。

それでもまだ相当遅いペースであることはわかっていた。たぶん、3キロくらいしか走っていないだろう。ジョギング以下のスピードだ。しかし優紀はそのことを悲観的には考えなかった。

これから少しずつペースを上げていけばいいことだと、自分に言い聞かせた。英語だってそうだ。最初は皆目わからない長文に呆然《ぼうぜん》とする。しかし構文を学び、単語を一つ一つ覚えていくと、長い文章もだんだんわかってくる。数学だってそうだ。一つ一つ簡単な例題をこなしていくことで、だんだんと難しい応用問題にも対応出来るようになる。そうやって多くの勉強をこなしてきた。自分の場合は、ローマは一日にして成らずだ。スポーツもきっとそういうものに違いない。自分の場合は、スポーツに関して言えば、劣等生だ。今は基本的な単語を学んでいるところだ。

ようやく息が整い、起き上がることが出来た。

ズボンの後ろポケットからバンデージを取り出して両拳に巻いた。これだけは慣れた作業になってきた。バンデージは入部した日に鏑矢にスポーツ用具店まで付いて来てもらって買った。その場で鏑矢に巻き方を教えてもらった。指の付け根のところを保護するように巻くだけなのだが、初めて両拳にそれを巻いた時は、何だかボクサーになったような気がしてわくわくした。その晩、自分の部屋で何度もバンデージを巻いた。ほどくと、またすぐに巻きたくなった。多分その夜だけで十回は巻いただろう。

草の上に立ち上がってファイティングポーズを取った。まだ自分のものにしているという感じはなかったが、最初の頃に比べてかなりしっくりくるようになっていた。この二週間、暇さえあれば、家でも電車のホームでもこの構えをしていた。傍《はた》から見ればかなりイタイ奴だが気にしなかった。

構えたまま体を左右に小刻みに揺すってみる。それでぐらつくということはなくなった。徐々に正しいフォームとバランスが身に付いてきているのを体で感じた。

時刻は七時になろうとしている。走り始めた時には幾分かオレンジ色だった空はもうすっかり青くなっていた。

構えた姿勢から今度は左ジャブを繰り出した。

このジャブも入部した日に沢木監督に教えてもらったものだ。

「構えたところからまっすぐに左腕を伸ばして打つ、これがジャブや」

沢木監督は自らジャブを打って見せた。目の前で拳の風を切る音がした。四十代後半の男とは思えないほど速かった。凄い、と思った。

「このジャブという奴は——」監督は言った。「ボクシングで一番重要なパンチや」

「そうなんですか」

沢木は大きくうなずいた。

「ジャブの効果はいくつもある。まず相手の構えを崩すことが出来る。速いジャブを連続して当てることによって、相手のフォームやバランスを崩せる。そして次に強い右パンチを打ち込む。左ジャブは右パンチを当てるためのパンチでもあるから、リードパンチとも言われるんや」

「はい」

「また目を狙うことによって、相手の攻撃と防御の勘を狂わせることが出来る。目の前にびゅんびゅんパンチが飛んできたら誰でも勘が狂うやろ」

沢木はそう言って、優紀の顔の前にジャブを連続して繰り出した。優紀は思わず後ろに下がった。

「それとジャブは当たらんでも、出すことによって相手との距離を摑《つか》む測定器の代わりにもなる。ボクサーは互いに常にすごいスピードで動いているから、この距離感を摑むことは大事なことなんや」

「はい」

「まだあるぞ。ジャブは守りにも素晴らしい威力を発揮するんや。相手の攻撃を喰い止めることが出来る。ジャブで相手の突進を止めることも可能や。相手が飛び込んで来るところにカウンターで決めたら、攻守は逆転する」

「聞いてると、最高のパンチと思えてきました」

沢木は笑った。

「たしかに最高のパンチや。そやけどな——これを完全にマスター出来る奴は滅多におらん。左を自在に使いこなすことが出来たら、世界チャンピオンにもなれる」

「そうなんですか」

「昔から、ボクシングの世界では、『左を制するものは世界を制する』と言われてきたんや」

優紀は思わず自分の左手を見た。左を制するものは世界を制する——その言葉は優紀の胸にこだまのように響いた。

「よし、では打ち方を教える。構えてみろ」

優紀は緊張して構えた。

「そこから左手をまっすぐに伸ばす。そしてまっすぐに引いて元の位置に戻す。それだけや」

教えられたパンチは呆気ないほど簡単なパンチだった。そこには何のテクニックもない。沢木監督が言うように、曲げた腕をただまっすぐに伸ばすだけだった。少し拍子抜けした。こんな簡単なパンチはない。

しかし実際に自分が打ってみて、それは大きな間違いだということがわかった。曲げた腕をまっすぐに伸ばすだけの動作がこんなにも難しいものとは思わなかった。沢木監督には「脇を締めて、拳が直線上を動くように」と言われていたが、突く時にも引く時にも、拳が直線を走らないのだ。

自分でもわかるくらいに拳がゆるい弧を描く。肘が空く。何度やっても拳がまっすぐな軌道を描かない。それにスピードが遅い。突き出すのも遅ければ、引きも遅い。自分でも呆れるほどスローだった。

左手というものは実に厄介なものだということを思い知らされた。利き腕に比べて力がない上に微妙なコントロールが効かない。ジャブを打っている時の違和感は、左手で文字を書く違和感に近いものがある。

これは一筋縄ではいかない、と思った。

それからは毎日、左ジャブの練習を繰り返した。クラブの練習時間だけではなく、家でも暇があれば左ジャブの練習をした。朝、千本、寝る前に千本を日課にした。

三日目で左腕が腫れ上がり、鞄も持てなくなった。夜、布団の中で左腕の痛みで目が覚めた。それでも自ら課したノルマは崩さなかった。痛みは数日続いたが、やがてなくなった。

二週目からノルマを朝夜共に二千本ずつに増やした。二千本のジャブを打つのに二十分近くかかった。打っていると、左腕に乳酸がたまってくるのを実感する。時々、腕を振って休めた。

家に戻ると、母は起きて朝食を作って待っていたが、機嫌はよくなかった。ボクシング部に入部してから、ずっとぎくしゃくした関係が続いている。特に早朝のトレーニングから戻った時は尚更《なおさら》だった。

ボクシング部に入部したと言った時、母はお願いだからやめてほしいと懇願した。強い要請は三日続いた。息子の決意が固いと知ると、四日目に、ボクシング部以外のスポーツなら何でもいいからボクシングだけはやめてほしいと言われた。大事に育てた息子が殴られるのが耐えられないと言った。最後は泣いて頼まれた。

母の気持ちは痛いほどよくわかった。母の優しさと愛情の深さは知っている。母はいつも優紀の悲しみを自分の悲しみ以上に受け止めていた。だからこそ優紀は中学時代にいじめられても一度も母に訴えなかったのだ。

ボクシングはスポーツなんだから、といくら言っても母は納得しなかった。しかし優紀も頑固に譲らなかった。

夜になると時々、隣の部屋から母の泣いている声が聞こえた。母の悲しみは、あるいは自分の願いを頑として拒否した息子の態度にショックを受けたからなのかもしれないと優紀は思った。これまで母の言うことに逆らったことは一度もなかった。

父が生きていたら何と言うだろうかと思った。父を亡くしたのは十四歳の時だ。父との思い出は沢山あるが、男同士として会話を交わしたことはない。父が生きていたら、ボクシング部に入ったことを何と言っただろう。もしかしたら頑張れよと言ってくれたかもしれない。男ならとことんやってみろ——そう言ってもらいたかった。

まだ運動に慣れないせいで食欲はなかったが、無理矢理喉に流し込んだ。母の愛情を無駄にしたくないということもあったが、食べないと筋肉がつかないと思ったからだ。

ボクシング部の入部に反対したのは母だけではなかった。入部して二日後に担任教師の諸井《もろい》先生に呼ばれた。三十代半ばの痩せた社会科の教師だった。

「授業料免除の特待生が運動部に入るのはどうかと思うよ」

彼はやんわりと言った。

「でも、規則違反ではないですよね」

諸井先生はちょっと困った顔をした。恵美須高校の特待生制度が出来たのは三年前だ。先生の言うところでは特待生が運動部に入部したのは初めてのケースということだった。

「規約には運動部に入るのを禁じるとは書いていないから、違反ではないんだが、そういうケースを想定していなかっただけで、まあ不文律みたいなもんなんだよ」

「でも、入学の時には、そういう説明は聞いていません」

諸井先生はため息をついた。

「なんで、ボクシング部なの？」

「やってみたかったからです」

「あんまり評判のよくないクラブだよ。それに体にも頭にもよくないよ。君みたいな優等生がやるスポーツとは思えないよ」

優紀は黙っていた。諸井先生はそれ以上は反対しなかった。まあ、一言だけ言っておいて担任教師の義務だけは果たしておこうという感じだった。しかし最後に釘を刺すのは忘れなかった。

「一年通して、クラスで五位以内から落ちると授業料免除の特典はなしになるよ」

「わかってます」

「それさえ自覚していたらいい」

優紀のボクシング部の入部はクラスメイトたちにも奇異な目で見られていた。特進クラスでもトップクラスの優紀がよりによって格闘技をやるというニュースはちょっとした好奇の的になっていた。そこには「アホとちゃうか」というニュアンスが含まれていた。中には面と向かって「お前がボクシングなんかやっても強《つよ》なるわけないやん」という男子生徒もいた。

おそらく小池美香だけは優紀がボクシング部に入った本当の理由を知っているはずだったが、彼女はクラスメイトには何も言わなかったようだった。

ある日の放課後、偶然廊下ですれ違った時、小池から「ボクシングって厳しいんでしょう?」と言われた。

優紀が言葉を濁していると、彼女はにっこりと笑って、「頑張ってね」と言った。

練習場に着くともう部員たちは練習を始めていた。この日も優紀が一番遅かった。

特進クラスは週に四日補習授業があり、その日はいつも三十分以上遅れて練習に参加する。

恵美須高校には校舎が四つあり、ボクシング部の練習場は南館と呼ばれる一番古い校舎の二階にあった。その校舎は鉄筋コンクリート造りの三階建てで、いくつかの運動部や吹奏楽部などの練習場があった。

ボクシング部の練習場は教室を二つくらい合わせたくらいの長細い部屋で、その端に数メートル四方のリングがあった。リングは床から50センチくらい上にあり、四本のロープが張られていた。前に試合を見にいった玉造高校と同じだ。練習場の一方の端には天井からサンドバッグが二つ吊るされていた。そんな練習場で五人の部員はめいめい練習をしていた。優紀は大急ぎで着替えて一人で準備運動と柔軟体操を開始した。

恵美須高校のボクシング部の練習は二分動いて一分休む。その時間になると自動的に時計のブザーが鳴るようになっていた。実際の試合時間と同じにしているのだ。練習は基本20ラウンドだった。部員たちはそのラウンドにロープを跳んだり、シャドーボクシングをしたり、サンドバッグを打ったりする。

部員たちが一番多くの練習時間を割くのがシャドーボクシングだった。これは自分の目の前に対戦相手を想定して、その相手と戦うようにパンチを出す練習だ。時には飛んでくるパンチを想定して、そのパンチを払いのけたり、ガードしたり、頭を振ってよけたりする。フットワークを使って相手を追い込む練習もあれば、逆にフットワークを使って相手から逃げる練習もする。言ってみればボクシングのパントマイムだが、ボクサーにとって最も重要な練習ということだった。

しかしそれだけでは実戦の勘が養《やしな》われないので、実際にグローブをつけて打ち合うスパーリングという練習方法もある。しかしこれは体へのダメージが大きく、恵美須高校のボクシング部では滅多にやらないということだった。優紀は入部して二週間の間一度も見たことがなかった。

その代わりにマスボクシングというのをたまにやる。マスボクシングというのはスパーリングに似ているが、スパーリングのように本気で打ち合うのではなく、空手の寸止めみたいにパンチを当てる直前で止めたり、当てたとしても軽く当てるだけのものだった。このマスボクシングというのは大事なもので、攻撃と防御の感覚を身に付けるために不可欠な練習ということだった。

恵美須高校のボクシング部の部員は優紀を入れてわずかに六人だった。三年生がキャプテンの南野一人だけ、二年生が飯田、野口、井手の三人、そして一年生が鏑矢と優紀の二人だった。

かつては三十人を超える部員を抱え、インターハイの全国優勝者も出したことがある強豪校だったが、年々部員数が減り、ここ十年くらいはインターハイ出場者も出ていなかった。今でも例年、春には十人くらいの新入部員が来るらしかったが、一ヵ月経たないうちにほとんど辞めてしまうということだった。理由は練習が単調なわりに厳しいからだった。

しかし沢木監督に言わせると、恵美須高校の練習はボクシング部の練習としては最低ラインの量で、大阪の強豪校である玉造高校や朝鮮高校とは比べものにならないくらい軽くてやわな練習ということだった。

「ボクシングは非常に危険なスポーツで、一歩間違えると大きな事故につながる。だから最低限の基礎練習だけは絶対に必要だ」というのが沢木監督の口癖だった。「この程度の練習にも付いて来られへんような奴はボクシングをする資格はない」という台詞《セリフ》もお馴染みのものだった。

今年も四月に新入部員が七人入ってきたらしかったが、四月のインターハイ予選の前に鏑矢を除いて全員辞めていた。一年生の多くが早々に挫折するのは、練習の厳しさに加えてモチベーションの維持が難しいということもあった。というのも日本アマチュアボクシング連盟の規約で、ボクシングを始めて一年間は試合をしてはならないと定められているからだ。理由は、危険防止のためだった。

ケンカ自慢が手っ取り早くボクシングの技術を学んで試合をやろうと思っても、苦しい練習を一年以上積まないと試合には出られないということを知って、たいていの新入部員がやる気をなくす。高校生の一年間は大人が考えているよりもはるかに長い。そういうこともあってか四月のインターハイ予選の前に鏑矢を除く全員が辞めていたのだった。

「だから、君も一年間は試合に出られないということを知っておいてほしい」

沢木監督は念を押すように言ったが、優紀自身はそのことでがっかりするということはなかった。

ただ、沢木監督から説明を受けた時、なぜ鏑矢はインターハイに出られたのかと思った。沢木監督はその疑問にも答えてくれた。

「日本アマチュアボクシング連盟の規約では、ボクシングを始めて一年以上の経験が必要となってるが、プロのジムで一年以上やってる者は一年生からでも出られるんや。カブの奴は中学時代からプロのジムに通ってるからOKなんや。玉高《たまこう》の奴らも多くが中学時代にプロのジムに通ってるから、たいてい一年生から出よる」

「そういうのには、何か証明が必要なんですか？」

「ジムのトレーナーの証明書がいるし、学校長の判子やらいろいろ書類が必要や。まあ、ボクシングはそれくらい危険なスポーツやということや。そやから遊び半分や興味半分でやるもんやない」

優紀は練習着に着替えながら、そんな会話を思い出していた。

沢木監督からは、とにかく左ジャブをしっかり打てるようになれと言われていた。そして「ジャブが打てないうちは他のパンチは教えない」とも言われていた。

優紀は柔軟体操を終えると、練習場の壁に貼られている大きな鏡の前で構えた。鏡の中の自分の姿が決まっている。二週間前は自分で見ても全然様になってなかった。軽くステップを踏んでみる。バランスが崩れない。いい感じだ。

優紀は鏡に向かって左ジャブを突いた。速いパンチがまっすぐに伸びる。自分でも大分いい感じになってきたように思った。優紀は左ジャブを打ちながら右手のガードをチェックした。拳はしっかりと顎をカバーしている。肘は肝臓をカバーしている。以前はジャブを打っていると、知らないうちに右手のガードが甘くなった。どんな時でも右手のガードは忘れるな、と沢木監督からしつこいほどに言われている。よし、大丈夫だ。

二、三日前くらいから、ようやく自分のイメージ通りのジャブが打てるようになった。想像の世界で鋭い左ジャブが相手の顎を捉えるイメージが頭の中に浮かぶようにもなってきた。鏡の前で何度も左ジャブを打った。入部した時と比べると、見違えるほど速くなっているのが自分でもわかる。

「速《はよ》なってきたやないか」

ちょうどインターバルで、軽いステップを踏んでいた二年生の飯田先輩が後ろから声をかけてきた。優紀は振り返って「そうですか」と言った。

「うん、二週間でそんだけ打てるようになったら、すごいで」

優紀は「ありがとうございます」と答えて、再び鏡の前でジャブを突いた。先輩に誉められて嬉しかった。ジャブが速くなっていたのは錯覚ではなかったのだ。一日四千本の練習がようやく実ってきたのだ。

その時、鏑矢が横を通りかかった。

「カブちゃん、どうや、俺のジャブ?」

優紀は鏑矢の目の前でジャブを連打した。

「おおっ!」

鏑矢は驚いて手を叩いた。「速い、速い。高速ジャブやで」

「ほんまか？」

「ほんまや」

優紀は嬉しくなった。誰に誉められるより鏑矢に誉められるのが嬉しい。

「カブちゃんのジャブを見せてくれへんか」

「ええよ」

鏑矢は返事と同時にジャブを一発打った。一瞬の間を置いて続けて三発のジャブを打った。それを見た途端、優紀の自信は一瞬に潰《つい》えた。

——何というスピード！　何という音！

前に試合で鏑矢の左ジャブは何度も目にしていて、その速さは知っているつもりだったが、自分が実際にジャブの練習をして、鏑矢のジャブの凄さが初めてわかった。

その時、次のラウンド開始のブザーが鳴った。鏑矢は軽く手を振ると、またシャドーボクシングを開始した。

優紀は鏡の前でジャブを打った。そのジャブにはもうさっきまでの輝きはなかった。鏑矢のジャブに比べると、それはパンチと言うよりただの腕の屈伸運動に見えた。

しかし落胆はしたが失望はしなかった。たゆまぬ練習で進歩すると信じた。鏑矢のように速く打てることは決してないだろうが、今の自分よりは必ず速くなる。

それに鏑矢は比べる相手ではない。大目標だ。むしろ目標が果てしない位置にあるということを一種の喜びに感じた。簡単に手が届きそうな目標よりもずっと素晴らしい。

――カブちゃんは太陽みたいなものだ、と優紀は思った。

永久に届かないが、永久の憧れだ。

第6章　サイエンス

「急にこんなことをお願いするのは心苦しいのですが――」

教頭は苦しげな表情をしながら言った。

「今回、インターハイ出場が決まって、沢木先生一人ではいろいろ大変なこともあって、高津先生にお願いする次第です」

教頭の要請は耀子にボクシング部の顧問になってもらえないかというものだった。

もともと恵美須高校の運動部には二人の顧問が就くことになっていた。ところが今年はもう一人の伊藤先生が四月から体調不良で長期休暇中のため、沢木が一人で顧問を受け持っていたのだ。部員が五人ということもあり、学校側も後任の顧問を付けていなかったのだが、鏑矢のインターハイ出場決定によりいろいろ事務的なことが増え、沢木の負担を減らす意味で新たに顧問を一人付けることになり、耀子に白羽の矢が立ったということだった。

耀子はもしかしたら沢木先生が私をリクエストしたのかもしれないと思った。そうであったとしても別に腹は立たなかった。

「高津先生には実際の練習には立ち会ってもらう必要はありません。そちらは沢木先生におまかせします。高津先生には、大会の申し込みや遠征の際の飛行機や列車の手配、宿舎の段取りなどをしていただけたらいいです」

「わかりました。お受けいたします」

耀子が答えると、教頭は少しほっとしたような表情をした。もっとも私立高校においては特別な理由がない限り、業務命令を拒否することは難しかった。

「手当やその他の条件については、前任の伊藤先生と同じでいいですか」

「かまいません」

「それでは早速手続きをしておきます」

耀子はよろしくお願いしますと言いながら、不思議な心持ちになっていた。よりによって自分がボクシング部の顧問になるなんて——。鏑矢と木樽の顔が浮かんだ。あの子たちとは何か縁があるのかな。

「それにしても、ずっと廃部の話が出ていたボクシング部なのに、いきなりインターハイの出場者が出るとはね」

教頭は苦笑しながら言った。「しかも昨年の優勝者を倒しての出場なんて——」

耀子は教頭の誤解を解くべきかどうか迷った。五分前なら本当のことを言っていただろう。鏑矢という生徒はでたらめな子供で、先日の朝礼での挨拶もほとんど口から出まかせだったと。しかしボクシング部の顧問になった今それを告げる気にはなれなかった。あんな子でも、私の生徒だ。

「高津先生が顧問をしてくれて、本当に助かります」

沢木は言った。耀子はパイプ椅子に腰掛けたまま、軽く頭を下げた。

「練習は私が面倒を見ますから、高津先生はふだんは何もしなくていいです」

「教頭先生からもそう言われましたが、顧問を引き受けたからには、たまには練習を見せてもらいます」

耀子はそう言いながら、練習場を見渡した。全部で六人の部員たちがきびきびと動いている。ボクシング部の練習を見るのは初めてだった。

リングの上でシャドーボクシングをしている者。サンドバッグを打っている者。縄跳びをしている者。耀子の目には、てんでんばらばらな練習に見えた。

「何か、みんな勝手にやっているみたいですね」

「ボクシングの練習はスパーリングとマスボクシング以外は基本的に個人練習ですからね。スパーリングというのは実際にグローブをつけて打ち合う練習です。マスボクシングは——まあ、スパーリングを軽くした感じと思ってください」

耀子は鏡の前でパンチを出している少年を見付けて驚いた。

「あの子は、特進クラスの子じゃないですか？」

「そうですよ。二週間ほど前に入部しました」

やっぱり木樽君だ。まさか、あの少年が本当にボクシング部に入るとは思わなかった。ボクシングはちょっと囓《かじ》ってみようというスポーツではないのはあの子も知っているはずだ。耀子の曇った表情を見て、沢木は言った。

「私も最初は入部を思いとどまらせようとしたんですが、入部したいと言ってきた時の顔はなかなか悲壮感がありました」

「それって？」

「何とも言えませんがね——」沢木監督は眉毛を指で搔《か》いた。「もしかしたら、何か屈辱的なことがあったのかもしれませんね。あのくらいの年齢の子にはようあることですが」

「ケンカで負けた、とか？」

「まあ、そんなとこでしょうか。そういう動機でボクシング部に入りたいと言《ゆ》うてくる子は少なくないんです」

「わかるような気がします」

「ボクシング部に入ってくるもう一つのタイプは、ヤンチャでケンカ好きな男の子ですね。ボクシングでも習ってさらに強くなりたいという単純な動機ですね」

　耀子はうなずきながら、部員たちを見た。

「でも、そういう不良みたいなのは長続きしません。ボクシングの練習は実は地味なもので、しかも厳しくて辛い。すぐに楽な方に逃げようとするヤンキーみたいな子はまず持ちません。このスポーツは心も体も強い子でないと続けられへんのです」

　それもわかるような気がした。その強さは見せかけのものではないのだろう。

「中には厳しい練習に付いてくるヤンチャな奴もいますがね。あそこでサンドバッグを叩いている飯田という男は、中学時代はえらい不良だったらしいんですが、ボクシング部の厳しい練習に音《ね》を上げずに付いてきました。一年で性格も人間も変わりましたね」

「どんな風に変わったんですか?」

「しょうもないことでケンカすることはなくなりました。辛抱がきくようになりましたね。ちゅうても、以前に比べたらということですよ」沢木はそう言ってにやっと笑った。「ボクシングを始めたら聖人君子になるということはないですから」

　耀子も笑った。

「話を木樽に戻しますとね」沢木は再び鏡の前でジャブを突いている木樽に視線を向けて言った。「すぐに辞めるやろうなと思っていたんです。初めはその気になってても辛い練習で気が挫《くじ》けるやろうと——」

「はい」

「ところが、今日まで二週間、一日も休まずに練習に参加しています」

「真面目ですね」

「あの子は面白い子です」

「面白いとは?」

「最初は全然あかんと思ってたんです。力もないし、運動神経もあるようには見えませんでしたから。入部した日に構えとジャブを教えたんですが、もう全然様になりませんでした。フォームは不細工だし、バランスは悪いし、ジャブにはまったくスピードがない。しかもまっすぐに打てない。正直に言うて、これは話にならんと思いました」

耀子は木樽君には悪いと思いながらも苦笑してしまった。運動オンチが運動をやってる典型的な姿だったのだろう。

「ところがね――」と沢木は言った。「どんどんよくなってくるんです。一気に上手くはならないんですが、毎日確実に伸びてくるんです。まず構えた姿勢のバランスが非常によくなった。おそらくジャブを打つ時にきっちりとフォームをチェックしながら打っているのでしょう」

「へえ」

「ジャブのスピードも毎日確実に上がっています。多分――」沢木は木樽を見ながら腕を組んだ。「家でも相当練習をしていますね。しかも相当ハードな。でないと、あは上達しません。もう一つ、あいつが偉いのはね、この二週間、愚直なまでに左ジャブしか打たないことです。普通ボクシング部に入ってきたら、すぐに右を打ったり、アッパーやフックを打ったりしたがるものですが、あいつは私がとにかく左だけを練習しろと言ったら、きっちりそれを守っています。サンドバッグを打つのも禁じていますから、まだ一度も打ったことがないはずです」

「それって、ある意味、すごいですよね」

沢木はうなずいた。「長いこと監督をやってますが、あんなのは初めてですよ」

「じゃあ、もしかして上手くなるかもしれませんね」

「それはわかりません」沢木は笑った。「ただ、変わったタイプであることはたしかですが――」

木樽は鏡の前で一心不乱に左ジャブを打っている。たしかに沢木の言うように、ジャブを打っている時のバランスの良さみたいなものは感じた。ただ、全身から躍動感やパワーは感じなかった。

耀子はリングに目を移した。リングの上では鏑矢が一人でシャドーボクシングをしていた。

鏑矢はまるでダンスを踊るように前後左右に動き、左右の腕でパンチを出していた。その動きは素早くきびきびしていて、他の部員の動きとはまるで違った。しかしそこには、およそ一ヵ月前に試合で見た「凰」は感じなかった。

「鏑矢です」沢木が耀子の視線に気付いて言った。「夏のインハイに出ます」

「知ってます」

「朝礼でアホな挨拶してましたね。しかし、うちの中では一番です」

「動きも速いですね」

「でも、手を抜いてます」沢木は不機嫌そうに言った。「あいつの動きはあんなもんやないです。ほんまにちんたらやってますわ」

耀子はもう一度鏑矢のシャドーボクシングを見た。たしかにその動きは鋭かったが、試合で見た印象とは確かに違った。沢木先生の言う「ちんたらやっている」というのはそういうことなのだろうかと思った。

「そやけど、あいつは一番強いですからね。上級生もあいつには何も言えません」

「そうなんですか。運動部って上下の規律が厳しいんでしょう」

「昔はすごく厳しかったですが、最近はそうでもないですよ。学年が違ってもほぼタメ口ですよ。それに、どんなスポーツでもそうですが、圧倒的に上手い奴には先輩風を吹かしにくいところがあります。ましてそれがボクシングときたら余計ですよ。腕で来いとなれば、敵《かな》いませんからね」

練習場にブザーが鳴った。

サンドバッグを叩く音がやんだ。シャドーボクシングをしていた者は、両手を下げて軽く足踏みをしている。縄跳びしていた者もロープを持って体をほぐしている。リングの上の鏑矢もリングを歩いていた。しかし木樽だけは休まずに鏡の前でジャブを出していた。

「インターバルです。デジタルタイマーが、二分と一分ごとにブザーを鳴らします。選手は二分動いて一分休みます。実際の試合と同じ時間の感覚を体で覚えるためです」

とはいえ部員たちはインターバルの間も完全に休むわけではなく、軽く体を動かしている。まもなくブザーが鳴り、部員たちはまたきびきびと動き出した。

「鏑矢君は部の統制を乱すタイプなんですか？」

「それはないです。むしろムードメーカーですわ。それに何ちゅうても、強さは群を抜いてます」

耀子はしかし沢木の言い方には幾分ケンが含まれているのを感じた。

「彼は才能がありますか？」

沢木はうーんと言って腕を組んだ。

「あいつは中学時代からプロのジムで練習していたんです」

「らしいですね」

「あいつのボクシングはアマチュアスタイルやなしにプロのスタイルなんですわ」

「既にプロのレベルに来てるってことですか？」

「あっ、いやいや――」沢木は慌てて手を振った。「説明不足でした。ボクシングの場合、プロとアマはかなり違うんです。プロは倒すのが目的やから、ダメージを与える有効打が重要なんですが、アマはいかに相手にパンチを決めるかが重要なんです。極端な話、プロの場合は軽いパンチを沢山もらっても、一発いいのを入れた方が勝ちみたいなところがあるけど、アマの場合は純粋にどれだけパンチを入れたかがポイントになるんです。パンチの重い軽いは関係ない」

「手数《てかず》が重要というわけですね」

「アマの試合はダウンを取ってもポイントに関係ないの知ってますか?」

耀子は首を振った。

「プロはダウン一回取ると10対8になりますが、アマの場合はダウンのポイントはありません。パンチ一発のポイントになるだけです。だからダウンを奪っても、二発ジャブ打たれたらポイントを奪い返されます」

「知りませんでした」

「そうは言《ゆ》うても、1ラウンドに二回ダウンするとRSC負けになりますから、ダウンを奪うのはポイント以上のものがありますが」

「鏑矢君は全部RSCで勝ってますね」

「たしかに大阪予選はＲＳＣで勝ち上がりましたが、世の中、上には上がいます」

「大阪の予選ではインターハイのベスト16を破りましたよ」

「ベスト16とトップクラスの差はかなりありますよ。あいつは全国大会で、トップクラスのテクニックを味わうと思いますよ。はっきり言うて、あのスタイルでは全国では通用しません。トップクラスの強豪とやったら、パンチは全部空を切らされて、おもちゃにされるでしょうね」

耀子はリングの上でシャドーボクシングをしている鏑矢の方をちらりと見た。

「鏑矢君に教えてやらないんですか」

「何度も言いましたよ、聞く耳持ちませんわ」沢木は苦笑しながら言った。「逆にこう言われましたわ。全試合ぶっ倒して勝ちますって——」

耀子はふと沢木先生の学生時代の実績はどうだったのだろうと思った。おそらく誇るほどの戦績ではなかったのだろう。さっき彼が言った「圧倒的に上手い奴には先輩風を吹かしにくい」という言葉には、あるいは彼自身の気持ちが入っているのかもしれない。

練習は約一時間ちょっとで終わった。全員が沢木監督に一礼して解散になった。監督は職員室に戻った。もっと厳しい練習をやるのかと思っていた耀子には意外だった。

しかし総練習の後すぐ各自の自主練習が始まった。鏑矢を除く全員がシャドーボクシングをしたり、サンドバッグを打ったり、ロープを跳んだりしている。木樽も鏡の前で左ジャブの練習を再開した。床に座り込んでいるのは鏑矢だけだった。

耀子は鏑矢の隣に行った。

「みんな練習してるよ」

「うん、もうすぐ国体予選があるもん」

「国体予選――いつなん？」

「来月の真ん中あたりやったかな、せやからみんな一所懸命なんや」

「鏑矢君は出ないの？」

鏑矢は妙なことを訊かれたような顔で、「出るで」と答えた。

「練習せんでもええの？」

「あ、うん」と鏑矢は曖昧に返事した。「もう十分したし」

耀子は呆れた。他の部員はもっと練習するべきと思ってるくせに、自分はもう十分に練習したつもりでいるのだ。

「沢木監督が言うてたけど、鏑矢君のボクシングはアマチュア的じゃないって」

「あの監督、そればっかり言うてる。もう何回言われたかわからへん。パンチ力に頼るな、手数増やせって」

「それで？」

「監督の言うこともわかんねんけどな。けど、倒したら終わりやし」

「私はわからへんわ」

「ちょこちょこ細かいパンチ当てて判定で勝ってもなあ。先生かてそんな試合見てても、面白《おもろ》ないやろ」

耀子はボクシングの技術論に踏み込むのはやめようと思った。

「木樽君がボクシング部に入ったん、びっくりしたね」

「うん、俺が口説いたんや」鏑矢はにっこり笑った。「ようやくボクシングの魅力をわかってくれたみたいや」

「そうなのかな？」

鏑矢が、うん？という顔をした。

「あの子、何か嫌なことがあったんじゃないかな？」

「嫌なことって。どんなこと？」

「ようわからへんけど——何か強くなりたいと思うことがあったんやないかな」

鏑矢は少し考える表情をして、鏡の前で左ジャブを打っている木樽を見た。

「俺の優勝を見たからかな」

「そんなことでボクシング始める？」

「そやけど、あいつがボクシング部に入りたいて言うてきたんは、俺が優勝したすぐあとやで。それしかないやん」

耀子はそうかもしれないと思った。十代の少年少女は大人の世界では考えられないほど一時の感情で動く。木樽も友人の優勝を間近に見て心が燃えたのかもしれない。

鏑矢はいきなり「暑い、暑い」と言ってTシャツを脱いだ。上半身が剝《む》き出しになった。贅肉がまったくついていない引き締まった少年の肉体を間近に見て、耀子はどきっとした。

Tシャツを着ている時は痩せた子だと思っていたが、裸の肉体はそんな印象を吹き飛ばした。肩の肉が盛り上がり、胸板も厚かった。腹筋ははっきりその形が見て取れた。

「国体予選、頑張ってね」

「予選なんか楽勝や。全国大会でも優勝するで」

「それがあなたの目標？」

「俺の目標は高校九冠や。インハイと国体と選抜の三つの大会で全部優勝して、三年間で九冠取るんや」

シャドーボクシングをしていた二年生の飯田が「鏑矢」と声をかけた。

「いくらお前でもそれは無理やで」

「何でよ、飯田さん」

「選抜大会は三年生は出られへんのや。そやから最高で八冠や」

「ほんま？　ほな八冠でええわ」

「飯田君」と耀子は訊いた。「高校八冠獲《と》った人いるの？」

飯田は足と腕の動きを止めた。

「多分まだいてへんと思います。過去、高校六冠が最高やったと思います。それは何人かいます。そやけど去年、玉高の稲村が一年生で高校三冠獲ったから、もしかしたら稲村は史上初の八冠制覇するかもしれません」

「それは無理やで！」と鏑矢が大きな声で言った。「来年は俺、ライトで出るから。稲村は大阪予選で負ける運命や」

「鏑矢も稲村も、俺から見たら雲の上の存在やわ」

飯田は苦笑いすると、再び軽いステップを踏みながら鏑矢の元から離れた。

「今日は顧問になった挨拶代わりに、帰りに何か奢るわ」

自主練習が終わった時、耀子がそう言うと全員がわーいと声を上げた。学園の規則で練習場を使うのは六時までと決められていたが、各自はぎりぎりまで練習した。鏑矢も時々は腰を上げてシャドーボクシングをしていた。

「マクドでええ？」

「賛成！」鏑矢が大きな声で言った。

一行は新世界近くのマクドナルドに入り、二つのテーブルをつなげた。耀子が好きなものをいくらでも頼んでいいと言っても、皆、ハンバーガーを一つと飲み物しか注文しなかった。ハンバーガー二つとポテトのL《エル》を頼んだのは鏑矢だけだった。

一人、キャプテンの南野だけがジュースしか頼まなかった。

「南野君は食べへんの？」

「南野先輩は減量中なんです」二年生の井手が言った。

「そうかあ」「ボクサーって減量があるんやね」

「俺はないで」と鏑矢が言った。

「南野君は何クラスで出るの?」

「ライト級です。60キロです」

「今何キロなん?」

「64キロ、あと4キロです」

「南野先輩はここまでに4キロ落としてるんですよ」

耀子は驚いた。すると全部で8キロ以上の減量だ。

「減量って、そんなにするものなの?」

「そんなにはしません」と南野が言った。「ぼくの場合、元々が肥満体質やったのと、身長が低いからかなり落とさないとあかんのです」

「そうだったの。あ、他の人も減量中やったん?」

「みんな2、3キロくらいの減量やし、試合までまだ二週間以上あるから全然余裕です。ぼくの場合は一ヵ月くらい前から減量に入らないと苦しいから」

「でも、ぼくらも試合前一週間くらいになったら減量に入りますよ」

飯田が言った。

「俺なんかわりかし太る体質やから、ふだんでもドカ喰いはせえへんで」と野口が言った。

「みんな偉いわね」と耀子は言った。「私なんかいつも食べたいだけ食べてしまう」

「せやから太るんや」と鏑矢は言った。「そやけど胸ないね」

耀子は鏑矢の言葉は無視して言った。

「マクドに誘ったりして、南野君には悪いことしたね」

「いいんですよ。みんなが食べてるのを見てると、自分も食べたみたいな気になってきます」

「よかった。そう言うてもらえたら、喜んで食べられる」

鏑矢はそう言うと、南野の目の前でこれ見よがしにダブルチーズバーガーにかぶりついた。

「ちょっと鏑矢君、デリカシーなさすぎよ。あなたも減量してるんでしょう、あと何キロなの？」

「俺は減量なんかせえへんよ。ふだんの体重で試合する。もっと喰うて、ライトに上げたろうかと思てるくらいやもん。先生、ハンバーガーもう一個頼んでもええ？」

耀子はため息をつきながら、どうぞと言った。

店を出たところで解散した。部員のほとんどは環状線を利用していたのでJRの新今宮駅に向かったが、耀子と木樽だけが地下鉄御堂筋線で梅田まで一緒に帰った。

「木樽君がボクシング部に入っていたのは知らなかった」

木樽は曖昧に返事した。

「全然イメージがつながらないね、木樽君とボクシングって」

「みんなに言われます」

「木樽君は、どうしてボクシングを始めたの？」

木樽はちょっと天井を見上げて、大きく息を吸った。

「ぼくは子供の頃からケンカが弱かったんです。だから、ボクシングで強くなりたかったというのが一番の理由です」

「そういうことを素直に言えるのはすごいと思うわ」

「すごいかどうかは……」

「自分が弱いことを認めることが出来るのは、強い証拠よ」

木樽は少し恥ずかしそうな顔をした。

「ボクシングをやって初めてわかったんですけど、男には闘争本能があるんです」

「闘争本能？」

「多分、原始の本能に近いものだと思います。大昔、ヒトがまだ原始人だった時、男

——いや、オスはメスや子供のために獲物と戦い、あるいは敵と戦ってきたのだと思います」

木樽は自分の両手を見つめて言った。「自分はずっと理性的で現代的な人間だと思っていたんですけど、そんなぼくの中にも原始の男の本能が眠っていたのかなあって時々思うんです」

「ふーん」

「動物の雄《オス》は雌《メス》を奪い取るために戦うじゃないですか。男の闘争本能の中にはそういうものもあるんやないのかなあって思います」

その言葉は耀子をなぜかドキッとさせた。男の中に「女を勝ち取るために戦う」という原始の闘争本能が残っているとしたら——女にもそんな原始の本能が残っているのかもしれない。それなら私の中にも、強いオスに惹《ひ》かれるメスの部分があるのだろうか？

「ボクシングって世界で一番古いスポーツだって知ってました？」

「そうなの」

「人類は二足歩行をしたと同時に、拳を武器にして戦ったのだろうと言われてます」

「そういう意味では古いスポーツかもしれないわね」

「古代ギリシャのオリンピックでは、ボクシングの勝者があらゆる競技の中で一番の栄誉を称えられたそうです」

「へえ」

芸術と文化が重んじられた文明国家のギリシャで格闘技の勝者が高い賞賛を受けていたことは意外だった。でも考えてみれば、ギリシャは何度も戦争している。たしか強国のペルシャとも戦っている。高い文化を支えていたのは武力かもしれなかった。それならボクシングの優勝者が称えられるのも当然かもしれない。

「でも、ボクシングはローマ時代になって、残酷なショーに変わるんです。奴隷の拳闘士が互いの命を懸けて戦う見せ物になるんです」

その話は耀子も聞いたことがある。

「それでローマ帝国が滅んだ時にボクシングも滅ぶんです」

「滅んじゃったの」

「ええ、約千年もの間、ボクシングは歴史から消えます。それが復活したのは十八世紀のイギリスです。でも当時のボクシングはレスリングを合わせたような格闘術だったらしいです。投げや絞め技や目つぶしもＯＫだったそうです」

「恐ろしいね」

「でも、時代を経るごとに改良されて、互いの上半身の前面を拳だけで打つスポーツになって、飛躍的に技術が高まったと言われています」

「よく知ってるのね」

木樽は少し照れたような顔をした。「ウィキペディアで見ただけです」

「何で見てもいいのよ」

「でも、ボクシングというスポーツは、技術的にもすごいんですよ」

「たとえば？」

「これは沢木監督の受け売りですが、相手のパンチに対する防御には、まず足でかわす方法と、体を振ってかわす方法、頭を振ってかわす方法、それに手でパンチを払いのけるパリーという方法、手でパンチをガードする方法があるんです」

「沢山あるのね」

「足でかわす方法も、横に動くサイドステップ、後ろに動くバックステップの二つがあります。体を振るのも横に振るだけやなしに、しゃがんでよけるダッキング、反らしてよけるスウェーバックというテクニックがあります。あと、肩や肘を使ってガードする方法もあります。こういうのを組み合わせることによって、無数の防御方法が生まれるらしいです」

「木樽君は全部出来るの？」

木樽は慌てて手を振った。「何も出来ません。監督からはガードしか教わってません。でも、これから一つずつ学んでいきたいと思ってます」

「守るだけでそんなにあるんなら、叩く方法も沢山あるんでしょうね」

「今言った防御法を崩す攻撃パターンがあるということです。パンチは大きく分けてストレートとフックとアッパーですが、それぞれロングパンチとショートパンチがあるそうです。これらを組み合わせて使うと、これも無限に近い攻撃パターンが生まれるそうです。ぼくはまだ左ジャブしか打てませんが――」

「大変ね」

「ボクシングって野蛮な殴り合いじゃなくて、すごく科学的なスポーツなんです。これも沢木監督に聞いたのですが、科学という意味のサイエンスという言葉には、ボクシングの技術という意味があるそうです」

「えー、そんなの聞いたことないよ。私、英語教師だけど」

耀子は思わず言った。木樽は少し顔を赤らめた。

「沢木監督が何か勘違いして言ったのかもしれません」

その時、電車が梅田に着いた。

耀子は家に着いてから、ふと木樽の言っていたことを思い出し、英和辞書で「science」を引いてみた——そこには「ボクシングの攻防の技術」と書かれていた。

翌朝、耀子は職員室で沢木に声をかけた。その日の午前中はたまたま二人とも受け持ちの授業がなかった。

「昨日、木樽君と話していたんですが、ボクシングって科学的なスポーツなんですね」

沢木監督は苦笑を浮かべた。

「科学的かどうかはわかりませんが、一般の人が思っているよりも人工的なスポーツであることはたしかです。たとえば、ボクシング最強のパンチの一つにストレートがありますが、これなどは実に人工的なパンチなんです」

「そうなんですか」

「人が人を殴る時はたいてい腕を大きく弧を描きながら振って殴ります。これが自然な動きなんです。でも空手の正拳突きやボクシングのストレートパンチというのは、直線です。実は人が自然な動きではやらない特殊な技術なのです。腕を大きく振って殴るパンチとは比べものにならないほど速くて鋭いパンチです。そして教わらないと打てないパンチです。おそらくこのパンチを最初に考案した者は無敵だったでしょうね。今でも、ボクサーと素人がケンカして相手にならないのは、このストレートパンチが打てるかどうかなんです。さらにこのパンチをよけられるかどうかなんです」

耀子はうなずいた。

「フックというパンチはストレートとは逆に、パンチの軌道が弧を描くパンチですが、素人の振り回すような大きな弧ではなく、鋭角的な鋭い弧です。これも練習しないと絶対に打てません。ボクシングは本能的なスポーツと思われていますが、こんな具合にすべての動きが近代的な技術の産物で出来ています」

「科学的という意味がわかりました」

「あとね、素人は人を殴る時は、無意識に殴る方の手をバックスイングします。ピッチャーがボールを投げる時みたいに」

沢木は身振りを交えて言った。「こういうパンチはテレフォンパンチと言います。今からパンチを打ちますよって相手に知らせるからでしょうかね。これは絶対に当たりません。ボクサーのパンチは一切の予備動作無しに打つことが求められます。まあ、そういうのは科学的いうのとはちょっと違うかもしれませんが」

耀子はボクシングとケンカの違いが少しわかった気がした。

「攻防の技術には様々な科学的な根拠があります。でも正直に言って、高校のクラブで高い技術の数々を教えるのには無理があります。だから私はまずガードだけをきっちりと教えるようにしてるんです」

耀子はその言葉に納得する反面、もしかしてこれは彼の言い訳ではないのかしらとちらっと思った。

「よかったら、座りませんか？」

沢木は隣の椅子を耀子の前に出した。別の体育教師の席だったが、ちょうど授業に出ていた。

「ところで、南野君は減量がきつそうですね」

「そうですね」

「伸び盛りの高校生で、短期間でそんなに減量させて大丈夫なんですか」

「まあ、あんまり誉められることやないですね」

「なら、どうして――」

沢木は禁煙パイプをくわえた。恵美須高校の職員室は昨年から禁煙になっていた。ヘビースモーカーだった何人かの教師はいつも禁煙パイプをくわえていた。

「南野はまだ一つも勝ってないんです」

耀子は沢木の次の言葉を待った。沢木は煙の出ないパイプを神経質そうに何度も吸った。

「南野は――」沢木は言った。「ボクシング部に入った時は身長160センチちょっとで体重は90キロもあったんです」

「そんなに！」

「多分、運動不足解消と減量の目的でボクシング部に入ってきたんやと思います。しかし一年頑張ってみたら、ボクシングが好きになって、試合にも出たくなったんです。けど、日本のアマチュアボクシングの最重量クラスはミドル級の75キロです。試合に出ようと思ったら最低そこまでは落とさんといけません。そやけど、ミドル級はみんな、180センチを超える大きい奴ばっかりです。重い奴がみんな落としてきますからね。そんな連中と戦ったら、えらいことになります」

耀子はうなずいた。

「それで、南野は一年間のトレーニングで90キロからウェルター級の69キロまで落としました」

「すごく頑張ったんですね」

「頑張りましたよ、本当に。でもウェルター級の選手はたいていは170センチ台の後半以上ありますからね。160センチちょっとの南野では苦しいことに変わりありません。それにウェルターのパンチの強さは半端《はんぱ》やないんです。去年は三戦して三敗、みんなRSC負けです」

沢木は禁煙パイプを噛んだ。

「今年のインターハイ予選は64キロのライトウェルターまで落としましたが、それでもあの身長では苦しくてRSC負けしました。今度の国体予選はさらに落としてライトで出ると言い出したんです。本当は高校ボクシングでそこまでの減量はやらせたくないですが、南野が勝てるチャンスがあるとしたら、それしかないですから」

「ライト級の60キロまで落とすって、苦しいでしょうね」

「苦しいなんてもんやないと思いますよ。万が一、勝ち抜いてもそんな体重を何日も維持出来るもんやない。けど、あいつは三年間頑張ってきたから、せめて一勝はさせてやりたい」

耀子はマクドナルドで一人ジュースを飲んでいた南野を思い出した。

「でもライトって稲村君がいるんじゃありませんか」

「たしかに稲村と当たったら勝ち目はないでしょう。でも一階級上のライトウェルターにも去年のインターハイの全国三位の強豪が朝鮮高校にいるんです。その二人にはまず勝ち目はないですが、それ以外の選手にならら勝つチャンスもあります」

「もしかして、南野君にとって、今度の国体予選が最後の試合ですか？」

「そうです。高校ボクシングの試合はインターハイ、国体、それに選抜大会の三つですが、選抜には三年生は出られないので、今度の国体予選があいつにとって最後の試合ということになります」

耀子はうなずいた。

「あいつは本当にいい奴で、勝たしてやりたい。あいつには借りがあるんです」

「借り？」

「あいつの上の学年はボクシング部員がゼロやったんです。あいつの年で五人入ったんですが、残ったのはあいつだけでした。もし南野が残ってなかったら、その時点で部員はゼロ。そうなればボクシングは廃部になっていたかもしれません」

耀子はたった一人で黙々と練習する南野の姿を想像した。

「南野とはマンツーマンでよく練習しましたよ」

沢木は遠い目をして言った。

「はっきり言うて、あいつはどんくさくてセンスがなかったです。でも、私はあいつが好きでした。下手なりに一所懸命で、可愛かったですわ」

耀子は南野の誠実そうな顔を思い浮かべた。

「一年後に入ってきた後輩たちにも優しくてね。みんなに好かれてますわ」

「勝ってほしいですね」

「そうですね」

「勝利の女神が一度だけ微笑んでくれないかしら」

沢木は耀子の言葉に軽く笑ったが、その後で静かに言った。

「ボクシングやる奴はみんな勝つために必死でトレーニング積んでますからね。勝利の女神もそういうのを見ると、どちらか一方に微笑むわけにはいかんでしょう」

言われてみればその通りだが、それでも沢木の言葉はクールすぎるように思った。

「ところで、沢木先生に基本的な質問をしてもいいですか？」

「どうぞ」

「パンチをもらうと、どうしてダウンするんですか？」

沢木は「えっ？」と少し意外そうな顔をした。

「叩くと倒れるって当たり前のように思っていたんですが、実のところはどうしてなのかなあと思って――」

「たしかに普通の人はダウンのメカニズムなんか知りませんよね。ダウンはほとんどの場合、頭部に受けたパンチによりますが、これは脳震盪《のうしんとう》を起こすからなんです」

「脳震盪、ですか？」

「脳は豆腐みたいな軟らかさと言われています。だから硬い頭蓋骨でしっかり保護されているのですが、パンチを頭部に打つことで脳を激しく揺らして脳震盪を起こさせるのです。普通の人間は脳震盪を起こすようなことは一生の間に一回あるかないかでしょう。だからピンとこないかもしれませんが、硬い容器に豆腐を入れて、その容器を思い切り殴るところを想像してみてください」

耀子はそれを想像してぞっとした。

「直接頭部を叩いて一番効くのはテンプル、つまりこめかみに打つパンチです。頭蓋骨の中でこめかみの部分が一番骨が薄いからなのです」

耀子はうなずきながら、ボクシングの持つ残酷性に気持ちの悪さを感じた。しかし沢木は淡々と語った。

「でももっと効果的に脳を揺らすパンチがあります」

「何ですか？」

「顎《あご》へのパンチです。顎を横から打つと、テコの原理で首を支点にして顎の反対側の後頭部が大きく振られます。特に顎の先端へのパンチだと、これもテコと同じで力の効率が跳ね上がります。だからボクサーはみんな顎を狙います。顎の先端のことをチンというのですが、ここは一番の急所です」

耀子は無意識に自分の顎を触った。

「顎を正面から打てば、頭が縦に振られることになって、脳が揺れます。顎にアッパーを打てば後頭部が逆方向に振られます。いずれも脳への揺さぶりが目的です」

「お腹を殴るのはどうしてですか？」

「ボディで主に狙うのはストマック、レバー、ハート——胃、肝臓、心臓ですね。内臓周辺には末梢神経繊維が複雑に交わっている神経叢《そう》があって、ここにダメージを受けると循環器系の神経が乱れて急速にスタミナをなくします。また時に痛みで立っていられなくなるのでダウンします」

耀子は思わず身震《みぶる》いした。それ以上は聞きたくないと思った。

「今の話は——」耀子は言った。「選手たちはみんな知ってるんですか？」

沢木は少し怖い顔をして言った。

「私は、入部希望者には全部、言《ゆ》うてます」

第7章　右ストレート

優紀は教室の掲示板に貼り出された順位表を見た。入学して初めての中間テストの成績表だった。恵美須高校では各クラスのベスト10がこうして発表されることになっていた。優紀は四位だった。昨年は恵美須高校の特進クラスから京大に現役で二人合格者を出していたが、四位では京大は難しいラインだった。優紀はそんなことよりも何とか五位以内をキープ出来てほっとしていた。年間の平均順位が五位以内から落ちると授業料免除の特典がなくなることになっていたからだ。

試験前はほとんど勉強しなかった。というか、トレーニングでくたくたになって勉強に回す体力は残っていなかった。試験期間中もトレーニングはやめなかったし、ボクシング部の練習も一度も休まなかった。だから四位という成績にむしろ手応えのようなものを感じていた。ほとんど家では勉強しないでこの成績なら、体力が付いてくれば勉強の方も大丈夫だという自信が付いた。

小池美香は三位だった。さすがだなと優紀は思った。二位は太田春樹だった。頭の回転がよく冗談を言う明るい奴だった。特に仲がいいわけではないが嫌な印象の男ではなかった。事前の噂では太田と優紀が一位を争うのではないかと言われていた。

ところが一位を取ったのは丸野智子という女生徒だった。小柄でぽっちゃりした地味な感じの子で、おまけに体が弱いらしく、クラスでは目立たない生徒だ。いつもにこにこしていて、言うこともとぼけた子だった。だから彼女が一位になったことはクラスの生徒たちに少なからず驚きを与えていた。特進クラスの一位ということは全学年のトップということだったから、注目度も高かった。しかし当の丸野自身はそれを誇るでもなく照れるでもなく、いつものようににこにこしていた。

優紀は丸野と会話を交わしたことはなかった。だからその日の昼休みに、丸野が横にやって来て話しかけられた時は少し戸惑った。

「木樽君、ボクシング部に入ってるんでしょう?」

丸野はにこにこしてそう聞いた。優紀は母の作ってくれた弁当を食べながら、ああと返事をした。特進クラスでは弁当派が大多数だった。他のクラスでは食堂を使ったり購買部でパンを買ったりする生徒の比率が高い。

「すごいなあ、ボクシングって」丸野は相変わらずにこにこして言った。「私も男やったらボクシングやりたかったなあ。ボクシングやると、痩《や》せれるでしょう」

「あのなあ、ボクシングやってるから言《ゆ》うて痩せられへんで。痩せるのは減量するからや。それとトレーニング」

「私でもトレーニングしたら痩せるかな？」

丸野は太い腕でパンチを交互に出しながら言った。優紀は彼女は体が弱いということを思い出した。たしか腎臓か何かが悪くて太ってるというのを誰かに聞いた覚えがある。心臓も弱いとかいう話だ。そう言えば、よく学校を休んでいた。

「ボクシングって見てみたい」

「変わってるな」

「練習、見に行ってもええ？」

優紀は思わず箸を止めた。お茶を一口飲んでから言った。「見ても面白《おもろ》ないよ」

「ええねん。見てみたいねん。あかん？」

「あかんことはないと思うけど——」

丸野は「ありがとう」と言って、ぺこりと頭を下げると、自分の席に戻って行った。優紀はその背中を見ながら、やっぱりちょっと天然が入ってるなと思った。

その日の放課後、優紀が教室を出たところで丸野智子に声をかけられた。

「ほな、連れて行って」

まさか今日とは思わなかった。「今から？」

「うん」

「顧問にも先輩にも何も言うてないし——。今日、言うとくわ」

「そんなんええよ。私が直接言うから」

優紀は、まあいいかと思った。

二人は新しい体育館の横を抜けて、裏門の近くにある南館に向かった。

「南館に入ったのは初めて」

「この建物は部室しかないからな」

この日は特進クラスの補習授業もなく、優紀はいつもの練習時間に間に合った。練習場にはもう南野キャプテンと飯田先輩と鏑矢がいた。野口と井手と沢木監督、高津先生の姿はなかった。

南野が優紀の後ろにいる丸野の姿に気付いて優紀に声をかけた。

「どうしたんや、今日は。恋人連れか？」

「違いますよ」

優紀は慌てて大きな声で言った。丸野は恥ずかしそうな素振りも見せずににこにこしていた。

「木樽君の同級生の丸野智子と言います。今日はボクシング部の見学に来ました。よろしいでしょうか？」

南野は少し驚いたようだったが、「ええよ」と言った。「適当に座って見といて」

まもなく野口と井手がやって来た。二人はパイプ椅子に腰掛けている丸野を見て不思議そうな顔をしていたが何も言わなかった。

南野の号令で練習が始まった。全員で柔軟体操と準備運動を開始した。丸野は椅子に座ってそれを見ていた。

まもなく沢木監督がやって来た。丸野は椅子から立ち上がって丁寧にお辞儀した。

「一年一組の丸野智子です。見学させていただいてよろしいでしょうか」

沢木もちょっと驚いた感じだったが、「ああ、かまへんで」と言った。

「ありがとうございます」

丸野はパイプ椅子に座ったまま、楽しそうに部員たちの練習を眺めていた。

優紀は時々、彼女の方を見た。もしかしたら退屈してるんじゃないだろうかと思った。あるいは帰るきっかけを失っているのかもしれないと心配したが、表情を見ているとそうでもなさそうだった。

正規の20ラウンドの練習が終わって、優紀は丸野のところに近付いた。

「一応、正規練習はこれで終わりやで。後は自由練習や」

「うん」

その時、沢木監督が練習場を出て行くのと入れ替わりに高津先生が現れた。高津先生は丸野の姿を目に留めた。

「あなた、一年生の丸野さんね」

「あ、高津先生、はい」

丸野は椅子から立って返事した。

「ボクシングの練習を見たくて、木樽君にお願いしました」

「ボクシングが好きなの？」

「いいえ、初めて見ました」

「じゃあ、どうして？」

「今年インターハイの優勝候補が出たんでしょう。それってすごいなと思って。それにうちのクラスの木樽君が入ったって聞いたから、ボクシングってどんなのかなと思って——」

「ふーん」

高津先生は丸野の隣に座った。

「それで、どう、面白い？」

「面白いです！」

丸野は力を込めて言った。それから自由練習をしている部員たちの姿を目で追った。

「あれが鏑矢君ですね」

リングの端に腰掛けて休んでいる鏑矢を見付けて丸野が言った。

「そうよ。インターハイのフェザー級大阪代表」

「すごくかっこいいですね」

丸野はなんの照れもなく言った。高津先生が苦笑するのを優紀は見た。

「ちょっと下品な子よ」

「でも——かっこいいです。動きがすごくかっこいいです！」

高津先生はまた苦笑したが、今度は何も言わなかった。

優紀は二人の会話を聞きながら、丸野がテストで一番だったのを思い出した。勉強ばかりしてきた優等生の目には鏑矢みたいなのが新鮮に映るのかなと思った。

「先生」突然、丸野が高津先生の方を向いて言った。「私、ボクシング部のマネージャーになりたいです！」

「あなたが？」

「はい」

鏡の前でジャブの練習を繰り返していた優紀は驚いて思わず動きを止めた。

「沢木監督に訊いてみないとわからないけど、多分大丈夫やと思う」

「嬉しい！」丸野は笑顔を見せた。

「ちょっと待ってて」

高津先生は練習場の校内電話から職員室に戻っていた沢木監督を呼び出した。丸野のマネージャー志願のことを電話で話すと、すぐに沢木がやって来た。

「君、マネージャーになりたいの？」

「はい。お願いします」

沢木監督は「うーん」と腕を組んだ。

「駄目ですか？」

「いや、駄目というわけやないけど、これまでボクシング部にはマネージャーなんかおらんかったから、何をしてもらえばええのか――」

「何でもやります」

「何でもいうてもなあ」

困った様子の沢木監督に「掃除でも何でもいいんです」と丸野はくらいついている。

「じゃあ、とりあえずは高津先生の補佐をしてくれるかな」

丸野は嬉しそうに「はい」と答えた。

「丸野さん、体は大丈夫なの？」高津先生が聞いた。「あなた、たしか――」

「私が運動するんじゃないですから、大丈夫です」

丸野は笑って言った。高津先生もそれ以上は言わなかった。

沢木監督が手を叩いて、部員たちに号令をかけた。「全員集合！」

部員たちは沢木と高津先生の前に集まった。

「今日からボクシング部のマネージャーになった丸野智子さんです」

沢木監督の紹介に、皆、えっという顔をした。

「えらいブスやなあ」と鏑矢が小さな声でぼそっと言った。

「鏑矢！」

南野キャプテンが注意した。沢木も「失礼なこと言うな」と怒った。

「ブスは本当のことです」

丸野はにこにこして言った。

「おまけにブタやし——」と鏑矢が言った。

「鏑矢、ええ加減にしろ。彼女に謝れ」

沢木監督が怒鳴った。鏑矢は頭を下げたが、ぺろっと舌を出した。

「いいんです。私、本当にブスでブタやから」丸野は鏑矢をかばうように言った。

「美人マネージャーやったらよかったんですが、みなさん、ごめんなさい」

丸野は申し訳なさそうに頭を下げた。

「とんでもない。こんな部に来てくれただけで感謝です」南野が言った。「みんな大歓迎です」

そう言って拍手すると、部員全員が拍手した。優紀は鏑矢が人差し指だけで拍手しているのを見たが、沢木監督も高津先生も気が付かなかったようだった。

優紀が沢木監督から右ストレートを教えてもらったのはその翌日だった。

その日、沢木監督は優紀がジャブを打つのをじっと見ていたが、突然、「よし」と声をかけた。

「今日から右を教える」

優紀は思わず心の中で、やった！　と叫んだ。ずっと打ちたくてたまらなかったパンチだ。

沢木は自分の前に優紀を立たせて言った。

「ボクシングの基本はワンツーだ。つまり左ジャブから右ストレートのコンビネーション。これがボクシングの王道や」

「はい」

「左ジャブはほとんど腕だけで打つが、右ストレートは腰を回転させて打つ。その時、肩も大きく回すように回転させて打つ」

沢木は自らゆっくりとその動きを見せた。

「腰と肩の回転がある分、威力があるわけですね」

「そういうことや。体重が乗った重いパンチになる。それに利き腕やから力も強い。高校ボクシングの場合、ノックアウトパンチの半分以上は右ストレートや」

「はい」

「やってみろ」

優紀は構えたところから右ストレートを打った。しかし自分でも強烈なパンチを打てた手応えがなかった。

「右腕だけ伸ばしても威力はない。腰を回転させろ」

優紀は言われたように腰を回転させて打った。さっきよりも右腕がスムーズに出たが、それでもまだ今ひとつしっくりこなかった。

「腰と同時に、肩も回転させる。最初は後方にある右肩を前に持ってくるんや。１８０度くらい回転させる」

優紀は何度もやったが、腰と肩の回転がスムーズにいかなかった。

「腰を回転させる時は右足で強く床を蹴る。そして体重を乗せて肩も回しながら、腕を伸ばす。右足の蹴り、腰の回転、肩の回転、それに右腕の突き出し——この四つを同時に瞬間的にやるんや。どれか一つでもタイミングがずれたら、鋭い右ストレートは打たれへん」

優紀は内心で悲鳴を上げた。簡単そうに見えていた右ストレートだったが、これほど難しいパンチだとは思わなかった。しかしそれだけにしっかりマスターしようと一層意欲が湧いた。

「それともう一つ大事なことを言うとく。右ストレートを打った時、左の拳は顎をしっかりとガードしておくこと。これだけは絶対に忘れるな」

「はい」

「左ガードが下がってたら、相手の右パンチを喰らう。ボクシングというのは、自分がパンチを出す時が一番危険なんや。左ガードだけは絶対に忘れるな」

「はい」

「それともう一つ、右手は相手から遠い。その分、パンチの軌道が長い。そやからいきなり右ストレートを出してもまず当たらん。必ずジャブを当ててから右を出す。右ストレートは常に左ジャブとセットやと思とけ」

「はい」

「今言ったことを意識して、何度も繰り返してやれ」

沢木はそれだけ言うと優紀の元を離れた。

優紀は鏡の前で何度も右ストレートを繰り返して打ったが、自分の右拳の先がベクトルの最大値を出していないのが自分でもわかった。それにすごくスローモーだ。

シャドーボクシングをしている先輩たちを見ると、皆自然に腰と肩を回転させて打っていた。今まで何気なく見ていた動きだったが、しっかりと身に付けたフォームとテクニックで打っているということがわかった。

部員の中でも圧倒的に素晴らしい打ち方をしていたのはやはり鏑矢だった。右を打つ時は、まるで上半身が一瞬で向きを変えるように見える。横から見ると、さっきまで背中が見えていたと思うと、ぱっと胸が見えるのだ。先輩たちの回転よりも速い上に回転角度も大きかった。

優紀は沢木監督が言っていた右足の蹴りを思い出し、鏑矢の右足に注目した。鏑矢が右を打つ時、足首はバネが弾けるみたいに回転し、同時にふくらはぎがパーンと突っ張るのが見えた。この動きを上半身の回転と共に一瞬のうちに行うのだ。まるで体中のエネルギーと体重が瞬間的に右拳に集約されている感じだった。こんなパンチを喰らって耐えられる奴なんかいるはずがない。

——やっぱり、カブちゃんはすごいわ。

第8章　マスボクシング

さっきから鏑矢がラクダの顔を見て大笑いしていた。

優紀は鏑矢の方に目をやった。鏑矢のすぐ目の前で大きなフタコブラクダがみじろぎもせずに彼の顔を見つめている。ラクダがいるスペースは通路から数メートルほど下にあり、通路近くまで来ているラクダは、手を伸ばせば触れるのではないかと思うほどの近さで鏑矢と向き合っていた。

「さっきから、こいつ、ずっと俺の顔見とんねん」

「友達やと思てるんやろ」南野が言った。

「俺、こんなアホみたいな顔してるんかなあ?」

鏑矢はラクダに向かって「イーッ!」という顔をした。ラクダは表情も変えずに鏑矢の顔を見つめていた。

「世の中には変な動物もおるねんな」

鏑矢が呟《つぶや》くと、飯田が「向こうもそう思てるで」と言った。

この日は平日だったが、高校の創立記念日で授業は休みだった。本来はクラブも休みだったが、国体予選を四日後に控えているということで午前中だけ練習場を使わせてもらって練習したのだが、午後から、鏑矢が天王寺動物園に行こうと言い出したのだ。学校から動物園までは歩いて十分くらいの距離だったが、わざわざ行く生徒は滅多にいない。優紀自身、小学校の二年生以来一度も行っていなかった。最初は部員たちもその提案に失笑したが、丸野が「私、行きたい！」と言うと、何となく皆もその気になり、結局全員で行くことになったのだった。

途中、新世界を通って動物園に向かった。新世界界隈は平日にもかかわらず観光客がたくさんいた。昔はなかった光景だ。鏑矢は観光客を見ながら、「新世界も堕落したのー」と言った。

皆笑った。たしかに優紀が子供の頃、新世界界隈はちょっと怖い街という雰囲気があったが、十年ほど前にアミューズメントセンターのフェスティバルゲートと大浴場のスパワールドが出来てから、昔のガラの悪いイメージはかなりなくなっていた。動物園と美術館の周辺にあった何百というホームレスの青テントの家々も数年前に一掃されていた。

動物園の入場料は五百円だった。優紀は七百円少ししか持ってなかったから、ちょっと痛いなと思ったが、鏑矢がさっと優紀の分も入場券を買った。優紀が払おうとしても受け取らなかった。

入ってみると、部員たちは、すっかり動物たちに夢中になった。優紀も楽しかった。

「子供の時以来やけど、けっこうええなあ」南野が言った。

「ほんまですね。大阪のど真ん中に、こんなスペースあるって、すごいですよね」

野口が言った。

一番はしゃいでいたのは鏑矢で、優紀たちが聴いたこともないような懐メロ歌謡曲を次から次に歌いながら歩いていた。

「お前、そんな歌どこで覚えたんや?」と野口は呆れて言った。

「うちの家では昔から、歌《うと》てるで」

鏑矢はそう言って、「まるで私を責めるようにー、北の新地に風が吹くー」と歌い出した。すると丸野がその歌に手拍子を打った。

二人は歌に手拍子を入れながら、次から次へと動物舎を見て歩いた。

「みんな、見てみいや、あのオランウータン。物理の森山先生にそっくりやと思わへんか」

見ると、たしかによく似ていた。

「おーい、森山、そんなとこで何してんねん？」

鏑矢が大きな声で言った。丸野がおかしそうに笑った。

一同は半分くらい回ったところで、休憩所でソフトクリームを食べた。減量中の南野は「ぎりぎりセーフかな」と呟きながら注文した。

「カブちゃん、いよいよ今週、国体予選やな」優紀は言った。

「緊張してない？」

「するかいな。早《は》よ試合したいわ」

鏑矢はソフトクリームを舐《な》めながら言った。

「ぼくも早くマスボクシングしたいなあ」

「マスか」

「うん」

「ええよ。今度やろう」

「ほんまか」

「うん。ユウちゃんのジャブも右ストレートもだいぶ形になってきたもん。もうマス出来るで」

鏑矢にそう言われて嬉しかった。

沢木監督に右ストレートを教えてもらったのは二週間前だ。あれから右ストレートの練習はどれくらいしたか知れなかった。右腕を振りすぎて、最初の二日間で上腕が痛くなり、次の二日間で肩が痛くなった。腕と肩が痛む間は腰を回転させる練習だけを続けた。痛みが取れてからは一日に朝と夜に分けて五千発の右ストレートを打つ練習をした。二千五百発の右ストレートを打つのにたっぷり一時間はかかった。

練習を重ねていくうちに、沢木監督が言う、右ストレートはKOパンチになるという意味がよくわかった。腰の回転と肩の回転が決まった時には、右拳に自分の体重が乗るのがわかる。時には拳の風を切る音が聞こえる。このパンチがクリーンヒットすれば倒れるだろうなというのが実感できた。

自分のパンチに自信が付いてくるにしたがって、スパーリングがしたくてたまらなくなった。実際にグローブをつけて打ち合うスパーリングはボクシング部に入った時からの憧れだったが、左ジャブと右ストレートの練習を繰り返した今、その憧れは具体的な願望となっていた。

鏡の前で相手をイメージして、もう何千発打ったことだろう。イメージの世界では左ジャブで相手はのけぞり、右ストレートでぶっ倒れた。もう何人倒したことかわからない。しかしそんなイメージの世界ではなく、実体を持った相手にパンチを打ちたくてたまらなかった。

もちろん実戦同様のスパーリングはまだ無理なのはわかっていたが、ジャブと右ストレートだけのマスボクシングならもう十分やれる自信があった。もしかしたら自分にはボクシングの才能があるのではないかと思った。

「自分で言《ゆ》うのも何やけど、ジャブもストレートもかなり速《はよ》なってきたと思うねん」

「速なってる、速なってる。野口さんより速いと思うで」鏑矢が言った。

優紀はどきっとした。近くに座っていた二年生の野口が苦笑した。

「そういうのは俺のおらんところで言うてくれよ」

鏑矢は笑いながら、ごめんと言って謝った。野口も本気で怒ったわけではなかった。

「明日の自主練習の時にマスやろう」鏑矢が言った。

その時、南野が「あかんぞ！」と言った。

「新人のマスは、勝手にやるのは監督が禁止してる」

「別にええやんか」

「いや」と南野は言った。「俺らは監督にはかなり自由にやらせてもらってる。けど、マスとスパーだけは勝手にやるなと言われてる。事故が起こったらえらいことになるからな」

「マスやから、大丈夫や。事故なんか起こらへんよ」

「そんな問題やなしに、監督は俺らを信用してくれてる、それを裏切りたない」

鏑矢も南野に言われると、何も言い返さなかった。優紀は彼の人格だなと思った。

「監督はちゃんと見てる。木樽がマスをしてもいいと思った時はやらせてくれるよ」

「けど、国体予選の前やからユウちゃんのこと、忘れてるんとちゃうか」

「そんなことないって」

鏑矢はソフトクリームを食べてしまうと、「ほな、次はライオン見に行こう」と言って立ち上がった。

いよいよ国体予選が始まるというその週の終わり、いつものように鏡の前でジャブと右ストレートを打っていた優紀は突然、沢木に声をかけられた。

「木樽。次のラウンド、マスボクシングやってみるか」

「本当ですか！」

優紀は思わず声がうわずった。

「1ラウンドだけ、やってみるか」

「はい！」

キャプテンの南野が優紀の方を向いて微笑んだ。優紀は南野が監督に進言してくれたのだとわかった。

「そやけどお前、マウスピースは持ってなかったな」

優紀が「持ってます」と言うと、沢木は苦笑した。「まだ買えて言うてへんかったのに」

沢木は二年生の野口に声をかけた。

「野口、相手をしてやれ」

「はい」

野口はフライ級の選手だった。優紀も50キロくらいだったから、ほぼ同じくらいの体重だった。

「木樽はジャブと右ストレート。野口はガードのみ。ただし軽いジャブはＯＫ」

「はい」

優紀はずっとトレパンのポケットに入れっぱなしだったマウスピースを取り出すと、水で洗って口にはめた。練習でマウスピースをはめるのは初めてだった。ボクシング部に入って一週間目に買ったマウスピースで、湯で温めてから口にはめると自分の歯にフィットした形に固まるものだった。

ヘッドギアは南野がつけてくれた。

グローブは14オンスだった。1オンスは約28・35グラムで、14オンスは約397グラムだ。普段のマスボクシングの時は12オンスを使っていたが、今日は優紀の初めてのマスボクシングということもあって14オンスにするように沢木監督が指示した。試合用のグローブは10オンスだから、一・四倍の重さだ。

両手にグローブをはめてから、優紀は自分の顔と顎を何度も打った。それを見て南野が笑った。

「何ですか?」

「いや、初めてマスする奴は必ずそれをやるなと思ってな」

「それって?」

「グローブで自分の顔を殴ることや」

言われてみて初めてさっきから何度もそうしていたことに気付いた。ほとんど無意識にやっていたのだ。誰もがやると聞いて面映《おもは》ゆい反面、嬉しかった。皆が通った道を自分も歩いているという気持ちがしたからだ。

「マスやから、軽くでええからな。形よくパンチを出すことが第一や」

沢木の言葉に優紀はうなずいた。

ちょうどインターバルのブザーが鳴った。優紀はリングに上がった。野口は既にリングに上がっている。一分後に、マスとはいえ初めてボクシングをすると思うと、足が震えるくらい緊張した。しかし同時にわくわくもした。自分の中の眠れる才能が発揮される時がいよいよ来るかもしれない。リングの脇では高津先生と丸野が心配そうな顔で優紀をみつめていた。

ラウンド開始のブザーが鳴った。

優紀はグローブを上げて野口に近付いた。足がふわふわして自分のものではないようだった。

あっと思うと目の前に野口先輩の顔があった。慌てて右ストレートを打った。パンチは空を切り、バランスを崩してよろめいた。

「左ジャブからや」沢木の声がした。

——そうやった。いきなりの右は当たらないって言われてたんや。

まずは左ジャブからだと自分に言い聞かせた。毎日何千本も練習してきたジャブを、生まれて初めて人めがけて打つのだ。

野口の顔に向かって左ジャブを打った。その瞬間、あっと思った。鏡の前で打っていたイメージと全然違うのだ。手はスローモーに伸び、戻す時には下に下がった。

グローブが重いのだ。

続けてジャブを打った。しかしいずれも緩やかに腕が伸びるだけで、野口の顔にはまったく触れられなかった。——何で当たらない？ 優紀は左を突きながら、心の中で叫んだ。いくら緩くても当たる距離から打っているはずだ。

何度か左ジャブを打つうちに、野口が背中を後ろに反らせてよけているのに気が付いた。たしかスウェーバックというテクニックだ。そうか、離れた距離からジャブを打つから、ちょっとでも後ろに下がられると当たらないのだ。

距離を詰めようと踏み込んだ。その瞬間、目の前に火花が飛び、遅れて鼻の奥がつんとなった。打たれたのだ。慌てて、右手で目の前を払ったが、既に野口の左手はそこにはなかった。

また左ジャブを突いた。しかし野口にすっと背中を反らすようにしてかわされた。

前進して左を突くと、野口はバックステップしてよけた。さらに思い切って踏み込むと、また目の前で火花が飛んだ。いつ左ジャブが来たのか全然わからなかった。

左ジャブから右ストレートのコンビネーションブローを打とうと思った。ジャブが当たらなくても、続けて右を打つのだ。

しかし左ジャブを打った時には、既に野口の体は遠くにあり、右を打てる位置にはなかった。この距離では右は打てない。

「野口、よけずにガードしろ」

沢木の声が聞こえた。野口がマウスピースをした口で、はいと答えた。

優紀が左ジャブを出すと、野口が今度はバックステップせず、右のグローブの内側でそれを受け止めた。

「木樽、まっすぐに突け」

はいと言いながら、ジャブを突いた。野口がそれをよけずにグローブで受け止めてくれる。左手にたしかな手応えがある。たとえグローブの上とはいえ、パンチの当たる感触は心地よかった。

野口の顎を狙って何本もジャブを突いた。しかしそのパンチはことごとく野口の右のグローブに弾かれた。

左腕が急速に疲れてきた。毎日あれほどジャブの練習をしてきたのに、たかが数十発ジャブを打っただけで、もう腕がだるくなるなんて——。

「木樽、右のガードが下がってるぞ！」

右手を上げた。

「野口」と沢木が言った。「木樽のガードが下がったらジャブを当ててもいいぞ」

その瞬間、優紀は鼻に衝撃を受けた。

「ストップ！」

沢木が優紀を呼んだ。コーナーに戻ると、沢木がタオルで鼻を拭いてくれた。タオルが血で真っ赤になるのが見えた。鼻血を流してたのか——。

「よし、行け。ガードを下げるな」

優紀は左ジャブを打った。その瞬間、顎ががくんとなり、マウスピースがはみ出そうになった。慌ててグローブで押し込んだ。

「ガードを上げへんとパンチを喰うぞ」

え、ガードが下がってるのか？ 上げてるはずなのに。

前進してジャブを打った。そのたびに野口のグローブで弾かれる。しかし何という威力のないジャブなのか。へなへなパンチなのが自分でもわかる。

時折野口のジャブが飛んでくる。しかしよけられない。来た！と思うと、次の瞬間には顔面が衝撃で揺れる。

「木樽、左が下がってるぞ」

あ、左が下がってるのか。本当や。左手が腰近くまで下がってる。

左手を上げ、再びジャブを打った。グローブはまるで鉛でも入っているような重さに感じた。まっすぐ伸ばすのが精一杯だ。ジャブを打った瞬間に、野口のジャブが飛んでくる。

「まっすぐ引かんと打たれるぞ！」

ああ、そうか。ジャブの後、引く時に左手が下がってしまっているのか。

ジャブを打ったあと、まっすぐに引こうと思っても、まるで自分の腕ではないように思いどおりに動かない。重いグローブで左を打つと、その重さで体が引っ張られるようだ。

また顎がはね上げられた。

「右のガード！」

今度は右手のガードが落ちていた。慌てて右手を上げた。

ラウンド終了のブザーが鳴った。

野口は両手を下げて、ありがとうございましたと言った。優紀も礼を言おうとしたが、声が出なかった。

体を折り曲げて両手のグローブで膝を押さえて上体を支えた。鼻血がリングの床にぽたりと落ちるのが見えた。

リングを降りると、マネージャーの丸野が駆け寄ってきて、タオルで鼻血を拭いてくれた。それから水の入ったビンを差し出した。優紀はビンに口を付けて水を含んだ。口の中をゆすぎ、コーナーの横に置かれている大きなバケツの中に吐いた。吐いた水は幾分赤みがかっていた。口の中も少し切っているようだった。

「大丈夫か」沢木が言った。「頭が痛くないか」

「大丈夫です」

「まあ、軽いジャブだけやから大丈夫と思うけど、頭が痛くなったら休んどけよ」

軽いジャブ――あれで軽いジャブ？

ブザーが鳴った。優紀は鏡の前で構えた。

左ジャブを突いたが、腕はもうすっかり疲れきっていた。

落ち込んだ気分になっていた。ボクシングを始めたことを初めて少し後悔する気持ちになった。

「どうした。自信がなくなったか？」

練習が終わって、沢木が訊いた。優紀は曖昧に返事をした。

「気にすることはない。誰でも最初はそうや」

沢木の横で高津先生が二人の会話を聞いていた。

「シャドーボクシングは目の前に相手がいると想定してパンチを打つ。サンドバッグは実際にバッグ目がけて打つ。でもな、いずれも実際の相手に打つもんやない」

「はい」

「パンチを打つ時に一番大事なんは、距離とタイミングや。サンドバッグはじっとしてるからパンチを打つ距離は自分で測《はか》れるし、タイミングも自分で決めれる。しかし実際のボクシングでは自分も動いている上に相手も動く。相手は前後にも横にも動いている。自分も動いている。有効なパンチが当たる距離とタイミングはほんまに一瞬や。その瞬間に打たんと当たらん。マスボクシングではそれを体で覚えるんや」

優紀ははたして自分にそんな真似が出来るようになるのだろうかと思った。

「最初はパンチが届かん距離から打つ。怖いからな。当然、当たらん。それで今度はもっと踏み込んでパンチを当てようと思う。それで近付きすぎる。当然、相手が先に打ってくる。自分が打つ前に打たれる」

「はい」

「お前、右出そうとして出せんかった時が何回もあったやろう」

「はい」

「あれも野口が上手かった。相手が右を出す前に射程から逃げたら、相手はパンチを出せん」

「はい」

「まあしかし、気にすんな。何度もやっていくうちに体で覚える。お前の左ジャブは速いんやから、タイミングさえ摑《つか》めば当たるようになる」

優紀はうなずいたが、沢木監督の言葉が適当な慰めにしか聞こえなかった。

「それと今日はもう一つ大事なことを教えたかったんや」

沢木は少し間を置いて、静かな口調で言った。

「それはガードの大切さや。ボクシングは危険なスポーツやが、一番怖いことは打たれることや。パンチのダメージというものは想像以上に怖い。だから、とにかくマスの時でもガードだけはきっちりと上げておけ。いついかなる時でもガードだけは上げておけ」

「はい」

「お前はあれだけふだんガードをきっちりとしてるのに、相手を打とうとして忘れてたやろう」

「はい」

「つまり、お前の中ではガードはまだ頭で意識してやってるだけで、体で覚えていないということや。無意識でもガードをしてるようになってこそ、本物や」

監督の言う通りだ。マスの間はガードのことなんかに頭が回らなかった。もう習慣的にガードは身に付いていると思っていたが、まだまだ全然出来ていなかった。無意識にできるくらいやらなければならない。

沢木は優紀の肩を軽くポンと叩くと、その場を離れた。

「ボクシングって難しいスポーツなんやね」

ぼんやり立っている優紀に、高津先生が声をかけてきた。

「見てるのとやるのとでは大違いなんやろうね」

優紀は小さな声で「はい」と答えた。今そのことを身をもって知らされた。

「そんなことないで」

少し離れたところでシャドーボクシングをしていた鏑矢が言った。

「ボクシングなんか難しいもんやないって——。相手が来たら打つ、それだけや」

鏑矢はそう言うと、またパンチを繰り出しながらどこかへ行った。木樽の目に高津先生が呆れたような顔をするのが見えた。

第９章　国体予選

六月、国体予選の少年の部が始まった。

耀子は午前中は授業を持っていたので、それを終えてから会場の長居《ながい》高校へ向かった。長居高校は同じ大阪市内の住吉区のＪＲ阪和線の鶴ケ丘《つるがおか》駅から歩いて数分のところにあった。大阪府で行われる高校ボクシングの大会は、試合用のリングを持つ三つの高校で回り持ちになっていた。玉造《たまつくり》高校と長居高校と朝鮮高校だ。

長居高校の練習場は広く立派なもので、リングも大きかった。壁の上には数々の表彰状が飾られていたが、それらはみな、何年も前のものだった。長居高校はかってはボクシングの名門高校だったが、十年ほど前、学校が進学校へ改革を始めた頃から、選手数も減り、それにともなって実力も次第に落ちてきて、今では玉造高校と朝鮮高校の後塵を拝しているということだった。

「長居高校だけやないですけどね」

と沢木は耀子に言った。「東成《ひがしなり》高校という高校も昔は強かったんですが、数年前にボクシング部そのものがなくなりました。うちもそうですが、大阪府下の高校のボクシング部は部員が減っていく傾向にありますね」

沢木は少し寂しそうな顔をした。

「まあ、これも時代の流れでしょうね」

試合会場の下の階の廊下の空きスペースに恵美須高校の選手たちが集まっていた。

今回の予選には恵美須高校からは五人がエントリーしていた。ライトフライ級の井手、フライ級の野口、バンタム級の飯田、フェザー級の鏑矢、ライト級の南野だ。

飯田のベストウェイトはフェザーだったが、鏑矢が出るために無理して一つ下げたのだった。

「俺は59キロから下げてんねんで。鏑矢はふだんでも56キロくらいやから、お前がバンタムで出たらええのに」

飯田は半ば冗談で鏑矢に文句を言っていた。

実際、鏑矢はあと2キロほど落とせばバンタム級で出場出来た。しかし飯田の身長

165センチに対して鏑矢は174センチだった。それに鏑矢の体脂肪は普段でも十パーセントしかなかった。要はほとんど余分な肉を持っていないのだ。耀子はそれを聞いて羨ましい体だなと思った。

インターハイ予選と国体予選ではいくつか大きな違いがあった。インターハイ予選では出場選手は各校一クラス二名までという決まりがあったが、国体予選は一クラス何名出場してもいいことになっていた。もっとも最近はどこのボクシング部も生徒数が減り、一階級三名以上出してくる学校は滅多になかった。

一番大きな違いはインターハイは大阪高校ボクシング連盟所属の高校の生徒でなければ出場出来なかったが、国体予選はそうでない生徒でも出場出来たことだ。国体大阪予選の正式名称は「大阪府民体育祭」というもので、大阪府民なら誰でも参加することが出来、少年の部は年齢が十五歳以上十八歳未満であれば高校生でなくとも出場可能だった。そのため出場者の中には、中学を卒業してプロのジムに通っている者も何人かいた。

耀子はそれを知った時、沢木に訊いた。

「プロのジムに行ってるのに、アマチュアでやるんですか?」

「高校へ行かないでプロのジムに通っている子も十七歳にならないとライセンスが下

りませんから、それまでは試合しようと思ったらアマでやるしかないんです。社会人とか実業団とか国体です。あの『浪速のジョー』の辰吉丈一郎もプロに入る前、大阪の国体予選に出たことがありましたよ」

辰吉の名前は耀子でも知っていた。大阪の生んだプロの世界チャンピオンだ。

「あれは強かったなあ」沢木は感慨深げに言った。

「そんなに強かったんですか」

「桁外れの強さでしたわ。10オンスのグローブでばんばん倒してましたから。当時の高校生では敵《かな》いませんでした」

「優勝ですか？」

「あっさりね」

「じゃあ、国体予選ではプロのジムでやってる子にやられますね」

「いやいや」

沢木は手を振った。「辰吉みたいなバケモンは滅多に出ません。毎年ほとんど高校生が代表になります。プロの戦い方とアマの戦い方では全然違うから、普通ならどうしてもプロの子は勝てません」

「それはどうしてですか？」

「やっぱりアマはポイントの取り方を知ってますからね。判定になると、たいていアマが勝ちます。プロのルールでやったら、違うでしょうが」

耀子は同じスポーツなのにわずかなルールの違いで戦い方も変わるというのは変に思えたが、それは多分どんなスポーツにも言えることなんだろう。ただ、バケモンみたいに強ければそんなものは関係ないという話にも妙に納得した。

今年の国体の少年の部の予選は例年よりも選手数が多かったため、変則的な日程で二週にわたって行われることになっていた。最初の週の土日に一、二回戦をやり、翌週の土日に準決勝と決勝の試合が行われることになっていた。

検診と計量が済んだ後にトーナメントの組み合わせ抽選がある。これをパスしなければ抽選前に失格になる。

「計量は1グラムでもオーバーすると駄目なんですか?」

「もちろんです」

沢木は笑いながら言った。

「オーバーする子はいます?」

「聞いたことがないですね。不安な子は前もって秤に乗ります。それでオーバーしてたら、服を着込んでロープを跳びます。十分も跳べば200グラムや300グラムは落ちますから」

「そんなに簡単に落ちるのですか？」

「落ちることは落ちます。でも試合前に余計な運動するとスタミナが減ります。それに身体を動かすと体温が上がります。37・6度以上あると、試合は許可されません」

「厳しいんですね」

「ボクシングは危険なもんやから、健康面では他のどんなスポーツに比べても神経質なくらい厳しいです。試合中も必ずドクターが付いています。万一のことがあると取り返しがつきませんから」

「検診ではどんなことを診るのですか？」

「血圧と、さっき言った体温ですね。いずれも規定値を超えていたら試合許可は下りません。それと膝蓋腱《しつがいけん》反射とクローヌス反射を診ます」

「何ですか、それは？」

「膝を叩いたり、足首を曲げたりして、脳に異常がないかを調べるのです。これに引っかかっても試合が出来ません」

　耀子はあらためてボクシングが普通のスポーツとは全然異なるものだという認識を強く持った。試合前に選手の健康状態をここまで調べる競技は他にはないだろう。

それにしても沢木監督はボクシングという競技に本当に詳しい。監督だから当然と言ってしまえばそれまでかもしれないが、単に競技だけでなくその周辺に至るまで知り尽くしているように見えた。耀子は、それってもしかしたら彼自身が二流の選手だったからではないだろうかと思った。そう思ったもう一つの理由は、彼が鏑矢にはほとんど何の指導もしないことだ。年齢が上でも自分よりも上手い選手には言いにくいとは彼自身が言っていた言葉ではなかったか。

もっとも沢木監督は他の部員に対しても熱血指導はしなかった。最低限の指導はするが、それ以上の熱意を持ってその選手を引き上げたり押し上げたりしていくタイプの監督ではなかった。耀子にはそれが少し物足りない気がした。沢木監督がたまに厳しく言うのは防御とガードについてのことがほとんどだった。

この日はぶら下がりの十三試合があるだけだった。エントリー選手が「二のn乗」でない限り、トーナメント戦では余りの選手が生じる。こうしたクジの「ぶら下がり」の一回戦を戦う選手は、一つ余分に試合をすることになる。恵美須高校の選手の中で試合があるのは鏑矢だけだった。

国体にはモスキート級はなく、一番軽い階級は45キロ以上48キロ以下のライトフライ級だった。一番出場者が多い階級は鏑矢の出場するフェザー級で、十五人だった。次に多い階級はバンタム級の十三人だ。つまりこの二つの階級が十八歳までの少年の標準的なクラスと言えた。選手が一番少ないクラスはミドル級で二人だけだった。このクラスは最終日にいきなり決勝戦ということだ。

沢木が抽選のクジを引いてきて、試合があるとわかった時、鏑矢はいきなり不平を言った。

「何で俺がぶら下がりの試合をやらなあかんねん」

「インハイの代表なんやからシードするんが当然とちゃうんか」

鏑矢は会場の端の床に敷かれたマットの上に寝そべり、聞こえよがしに大きな声を出した。

「鏑矢君、戦うの嫌いなん?」マネージャーの丸野が訊いた。

「いいや」

「もしかして、戦うの好き?」

「うん」

「ほんなら、試合があってよかったやん」

「まあ、なあ」

「私は鏑矢君の試合が見られて嬉しいで。ずっと見たかったもん」

「ふーん」

「私、鏑矢君の大ファンやねん」

「俺のファンは多いで」

「そう思うよ。かっこええもん。私がボクシング部のマネージャーになったんは、鏑矢君のファンになったからやで」

「お前なあ――そんなん言《ゆ》うて俺が喜ぶ思うか。そういうのは美人のセリフやで」

「ごめんね」

「鏑矢君」と耀子が横から口を出した。「あなた、ひねくれすぎよ。素直に喜んだらどうなの」

鏑矢は耀子の言葉を無視して寝返りを打った。

「ボクシングは強いけど、性格はあかんね」

鏑矢は寝ころんだまま、「グーグー」と言った。

「鏑矢君、かっこええとこ見せてね」

丸野の言葉には返事しなかった。

試合は午前十一時に始まった。

その頃には会場に並べられた椅子には観客が座っていた。五十人以上はいただろうか。ほとんどは選手の親たちだ。生徒たちは椅子には座らないで会場の端に立っている。リングの両端には、赤コーナーと青コーナーの応援団のスペースが作られていた。

ライトフライから始まって、フライ、バンタム、フェザーと徐々に重いクラスの試合に移っていくのはインターハイと一緒だった。

フェザー級の二試合目に鏑矢が登場した時、会場が少しどよめいた。二ヵ月前のインターハイ予選で四試合を全部RSCで勝ったことで、鏑矢の名前は知られていたのだろう。

相手の玉造高校の児玉はインターハイ予選で当たったことがある選手だと木樽が言っていた。心なしか相手選手は自信なげだった。

ゴングが鳴って鏑矢は軽いフットワークでコーナーを飛び出した。相手選手は足を使って鏑矢から距離を取った。鏑矢が前に出ると、バックステップで鏑矢の射程外に逃れた。鏑矢はロープに詰めたが、相手選手はうまく横に逃げリング中央に出た。

レフェリーが「ストップ」をかけ、相手選手に戦うようにという注意をした。

相手選手への声援が凄い。

「行け行け児玉！　行け行け児玉！」

玉造高校のボクシング部員は三十人を超えていたからその応援団の声も大きかった。南野たちも声を出したが、玉造高校の応援の声にかき消された。

その時、突然「鏑矢くーん！」というかん高い声が響いた。「素敵よー！」丸野の声だった。

リング上の鏑矢が少し嫌そうな顔をした。

再び試合が始まった。鏑矢が追い、相手は逃げた。鏑矢はいらいらしたのか、走るような感じで追いかけた。相手選手はロープ際に下がった。鏑矢は強引に前に出て左ジャブを伸ばした。その時、相手がいきなり右を打った。耀子は、あっと思った。しかし鏑矢はひょいとそれをよけると、体を捻《ひね》って右ストレートを打った。相手はまともに顎に喰らって両手と両膝をリングについた。

レフェリーはすぐにカウントを取った。倒れた選手はすぐに立ち上がったが、レフェリーはカウント8まで数えた。そして「ボックス！」と言って試合が再開された直後に、「ストップ！」と試合を止めた。

ダウンは一回だけだったが、耀子の目にもストップは妥当なものに思えた。いつのまにか耀子もボクシングが少しはわかるようになっていた。最初はパンチさえよく見えなかったが、今では激しい打ち合いの中でどちらのパンチが当たっているのかがわかるようになった。

1ラウンドRSC勝ち、タイムは四十五秒とアナウンスされると、会場にため息とも何ともつかない声が漏れた。

「鏑矢くーん、最高よー!」

コーナーに戻ってくる鏑矢に、丸野が大きな声を上げた。

「うるさい、黙ってろ。このブス!」

鏑矢の怒鳴り声に、また会場がどっと沸いた。

「丸野、たいがいにしとけよ!」

鏑矢はリングから降りるなり、丸野に喰ってかかった。

「マネージャーは応援したらあかんの?」

「応援の仕方いうのがあるやろ」

「あかんかった?」

「あかんの決まっとるわ。恋人と間違われたらどないすんねん!」

「私は別にええよ」

丸野はにこにこして言った。その屈託のない笑顔に鏑矢も毒気を抜かれたようで、「あのなあ」と言っただけだった。

耀子は二人のやりとりが面白かった。同時に丸野の意外な一面に驚いた。教室での印象とはまるで違っていたからだ。この子は体が弱くて、学校も休みがちだったのに、こんなに溌溂《はつらつ》としたところがあったなんて──。

「明日も応援するからね」

鏑矢はうんざりした顔で「ああ」と言った。もう諦めている感じだった。

「その代わり、鏑矢くーん、言うんだけはやめてくれ」

「ほな、義平《よしへい》君て呼んでもええ？」

鏑矢は降参という風に両手を上げた。「わかった、わかった。名前で呼ぶんは堪忍してくれ。鏑矢君でええから」

丸野は嬉しそうに「はーい」と言った。

翌日の日曜日も試合は十一時から始まった。

この日は八階級合わせて二十四試合ある。恵美須高校の四選手には皆試合があった。

しかしライトフライ級の井手は2ラウンドに二度のスタンディングカウントを取られてRSC負け、フライ級の野口とバンタム級の飯田はいずれも3ラウンド戦った末にポイントで負けた。

ただ耀子の目には二人の試合は判定が出るまでどちらが勝ったのかわからなかった。互いに目まぐるしく動き、速いパンチを打ち合っていた。野口の相手は朝鮮高校の三年生、飯田の相手は玉造高校の三年生の選手だった。いずれも優勝候補の一人と言われていただけに、善戦したと言えた。二人ともリングから降りる時はさばさばした顔をしていた。強豪選手と互角に打ち合えて満足していたようだった。野口は「判定まで持ったで」とむしろ喜んでいた。

もしかしたら耀子の方がショックが大きかったのかもしれない。この三週間、遅くまで自主練習をしてきた三人の努力を知ってるだけに、勝たせてやりたかった。しかしその思いは相手の選手も同じだということもわかっていた。

部員の中で一番悲しがっていたのはマネージャーの丸野だった。三人の試合中、丸野はずっと声援を送った。この日はメガホンを持っての声援で、会場に彼女の声がひときわ高く響いた。そして三人が負けるたびに涙を流した。

鏑矢は関西商大付属高校の二年生を相手に、1ラウンドで一度ダウンを奪い、2ラウンドで二度ダウンを奪ってRSCで勝った。胸のすく勝ち方で、丸野は先ほどまでの涙を忘れて、大はしゃぎだった。

しかし耀子は肩を落としてリングを降りて来る相手選手を見ていると、丸野のように浮かれた気持ちにはなれなかった。殴られて、倒される気持ちって、どれだけ惨《みじ》めだろう。

鏑矢は喜びの表情も見せずにリングから降りて来た。耀子はその様子を見て、この子にとって勝つことなんて当たり前なんだと思った。試合をすれば勝つ、それは彼にとっては当然のことで、そこには何の疑いも不安も抱いていないのだろう。もちろん敗者に対しての労《いたわ》りの気持ちなんかこれっぽっちも持っていない。それって何て傲慢《ごうまん》で、同時に何と純粋な美しさだろう。まるで傷一つ付いたことがないガラスのようなものだ。

しかしその日の耀子にとっては、もっと気になる試合があった。南野の試合だ。

井手と野口と飯田はまだ二年生だが、三年生の南野にとって国体予選が高校生活最後の大会だ。南野の高校時代の全試合は五戦。一年生の新人大会、二年生のインターハイ予選と国体予選と選抜予選、三年生のインターハイ予選と、すべて一回戦で敗れていた。〇勝五敗——これが南野の全成績だった。もっとも二年生の三人の成績も〇勝三敗だった。つまり恵美須高校のボクシング部で勝利の味を知っているのは鏑矢だけだった。

「俺が二年間で五戦して五敗したのに、カブの奴は入部して一ヵ月ちょっとで四勝やもんな。いやんなるで、まったく」

南野は国体予選の前日、冗談口調で言った。

「才能の違いですね」と鏑矢は笑いながら言った。「南野さんが四勝しよう思たら、二十年くらいかかりますね」

「こいつ！」

南野は後ろから鏑矢を羽交《はが》い締《じ》めにしようとしたが、素早く逃げられていた。鏑矢はこの二日でさらに勝ち星を二つ追加して六勝になっていた。しかし三年生の南野と二年生の三人はまだ高校に入って一度も勝っていないのだ。

顧問になって約一ヵ月だったが、耀子はもう選手たちに情が移っていた。中でも南野は特にお気に入りの選手だった。面倒見のよい優しい男で、キャプテンとして皆の信望を集めていた。あの鏑矢でさえ、南野の言うことは素直に聞く。

出来ることなら勝たせてあげたいと思った。

南野の相手は中津高校の生徒だった。中津高校は大阪でも有数の府立の進学校だった。当然学校にボクシング部なんかないはずだ。

「多分、プロのジムで練習してるんでしょう。インハイ予選は高体連に所属している学校でないと出られませんが、国体予選にはたまにこういうのが出てきます」

「強いのでしょうか？」

「多分、弱いでしょう。背は高いけどガリガリに痩せてるし、どうせ趣味でジムへ通って、思い出作りで試合に出たんでしょう」

耀子は少しほっとした。この選手には悪いけど、南野君にとってはラッキーな相手だと思った。

南野のセコンドには沢木監督と二年生の飯田が付いた。残りの部員と耀子は青コーナーの応援席に陣取った。

矢澤というその選手がリングに上がると、同じ高校の生徒と思われる女子高生の応援団が黄色い声を上げた。矢澤はプロの選手みたいに両手を上げてその声援に応えた。女子高生たちの声が一層大きく響いた。

レフェリーが矢澤に注意した。彼は両手を上げて剽軽《ひょうきん》に頭を下げた。それを見た女子高生たちが笑った。耀子はなんだか腹が立った。この矢澤という選手もそうだが、応援に来ている女生徒たちも、ふざけているような気がしたからだ。南野の集中力が殺《そ》がれないかと心配になった。

試合が始まった。

南野は真剣な顔でコーナーを飛び出した。矢澤は両手を下げて、南野の周囲を飛び跳ねながら回った。こんなボクシングスタイルは見たことがなかった。

「何、これは？」

耀子は隣にいた二年生の野口に聞いた。

「モハメド・アリの真似でもしてるつもりなんでしょう。遊び気分でボクシングの真似事なんかしやがって――」

野口は憎々しげに言った。アリの名前は耀子でも聞いたことがある。

矢澤は南野の周囲を回りながら、下から突き上げるような左ジャブを打った。それも耀子が見たこともない打ち方だった。

「ボケがっ！」と鏑矢が怒鳴る声が聞こえた。「フリッカージャブなんか打ちやがって！」

「フリッカージャブって何？」

耀子はまた小さな声で野口に聞いた。

「左手のガードを下げて下から上に打つジャブです。リーチの長いアメリカの黒人のプロでこれを打つのがたまにいます」

南野がそのジャブをいくつかもらった。矢澤は南野の周囲をくるくる回りながらフリッカージャブを何度も当てた。

南野の顔が揺れるたびに矢澤を応援する女生徒たちが声を上げた。

「何してんねや、南野さん。そんなジャブもらうな！」鏑矢が怒鳴った。

しかし身長とリーチで劣る南野は矢澤のフリッカージャブを何発も喰らった。

「左のガードがら空きやんけ！　右叩き込んだれ」

鏑矢の言葉に、南野はいきなり大きな右を打って出た。しかしバックステップした矢澤に簡単に外された。バランスを崩してよろけた南野に向かって矢澤はからかうように顎を突き出した。それから舌をぺろっと出した。

レフェリーがストップをかけ、その挑発的な態度を注意した。矢澤は両手を広げて大袈裟《おおげさ》な身振りで謝った。その仕草に女子生徒たちが、どっと笑った。

耀子は堪《たま》らない気持ちだった。どうして南野の最後になるかもしれない相手がこんな奴なのよ。もしこんな奴相手に負けるようなことがあれば、南野は耐えられないだろうと思った。お願い、南野、勝って！

試合が再開した。南野は頭を振って懸命にジャブをよけようとしていた。何とか射程内に飛び込もうとするのだが、相手は背が高く、おまけに下から突き上げるジャブで、距離を詰めることが出来なかった。

「どうして、沢木監督は何もアドバイスしないの？」耀子が言った。

「アマチュアボクシングはセコンドが声を出したらあかんのです」

野口が説明した。

矢澤はワンツーを打った。右が浅くではあったが南野のテンプルに当たった。南野の頭が揺れた。レフェリーがストップをかけてスタンディングカウントを取った。女生徒たちは「キャー！」と歓声を上げた。

「南野さん！」と鏑矢が叫んだ。「あんなジャブ、右で払い落として、左フックや」

南野はカウントを数えられながら鏑矢の方を向いてうなずいた。

試合が再開された。

矢澤は今度はいきなり右ストレートを狙い打ちしてきた。南野は下からの左に気を取られていたのか、今度はまともに顎に喰らった。南野はお尻からすとんと落ちた。

1ラウンドに二度のダウンで試合は終わる——耀子は背筋が凍りついた。

南野はすぐに起き上がったが、レフェリーはカウントを数えた。南野は顔をくしゃくしゃにして泣いていた。耀子は胸がかきむしられるようだった。レフェリーは規定通り8カウントまで数えると、「ボックス、ストップ！」と言って試合を止めた。

リングアナウンスで矢澤のRSC勝ちとタイムが告げられると、中津高校の女生徒たちは大はしゃぎだった。

南野は泣きながらも、相手コーナーに行き、一礼をした。それから三人のジャッジに向かっても丁寧に頭を下げた。これが彼の最後の試合になったのかと思うと、耀子も泣きそうになった。

その時、女生徒の声援が一段と大きくなった。矢澤がリングの上から女生徒たちに向かって派手な投げキッスをしたのだ。失礼極まりない！　と耀子が思ったその時、「鏑矢！」という沢木の怒鳴り声が聞こえた。見ると、鏑矢がリングに駆け上がろうとしていた。

「鏑矢、やめろ！」

沢木が怒鳴った。耀子は咄嗟《とっさ》に駆け寄り、すんでところで鏑矢の片足を摑《つか》んだ。リングにほとんど体を入れていた鏑矢はロープに足を引っかけるような形で倒れた。すぐに駆け寄った沢木はもう一方の足を摑んだ。

「離せ！」鏑矢は怒鳴りながら足をばたばたさせた。「あのガキ、殺したる！」

鏑矢はもがいたが、木樽や飯田たちも飛んで来て彼の体を押さえ付けた。

「畜生、離してくれ！」

矢澤は鏑矢の方を見ながら、リングを降りた。

「こらー、逃げんな、ボケッ！　俺とやれ！」

「鏑矢、ええ加減にせい！」沢木が鏑矢の首を摑んで怒鳴った。「やってええことと悪いことがあるぞ。頭冷やせ！」

五人がかりで押さえ付けられた鏑矢はさすがに抵抗出来ずにうなずいた。すでに一時の激情からは冷めたようだったが、それでも全部員で鏑矢を廊下に連れ出した。

この騒動で大会は一時中断となった。沢木は大会役員や審判に頭を下げて回った。

その間に矢澤や彼の応援団たちは会場から姿を消していた。それは耀子にとっても有り難かった。矢澤の姿を見たら、また鏑矢が暴れ出す可能性があったからだ。

事態がおさまってから、廊下にやって来た沢木監督に向かって鏑矢は頭を下げた。

「監督、すいませんでした」

「お前の気持ちもわかるけど、場所と時をわきまえろよ。高津先生がお前の足を摑むのがもう一歩遅かったらどうなってたと思う？」

「あのアホンダラをしばきまわしてました」

沢木は呆れた顔をした。

「そうなったら、どうなってた?」

鏑矢は少し考えて答えた。「ごっつう問題になってましたね」

「そういうことや。高津先生に礼を言うとけ」

鏑矢は耀子に向かって頭を下げた。

「あなたに肩を思い切り蹴られたわ」

「すいませんでした」と鏑矢は言った。「お詫びに顔を思い切りどついてください」

「何でも暴力でかたをつけようとしないで!」

「はい」

南野が鏑矢のそばに来て言った。

「カブ、すまんな。俺が負けたから——」

「ほんまや!」と鏑矢は言った。「あんなボケ、簡単にKO出来るやん。それを負けるやなんて——南野さんは弱すぎやで」

「鏑矢、言うてええことと悪いことがあるぞ」

沢木が怒ると、鏑矢は横を向いた。「鏑矢君!」と耀子がきつい声で言った。

「すまんかったな、鏑矢」と南野が言った。

鏑矢は「もうええです。謝らんといてください」と言った。南野はうなずいた。それから小さな声で「ありがとうな」と言った。

すべての試合が終わってから、あらためて沢木監督が鏑矢の件で審判部長に呼ばれた。しかし今回の鏑矢の行動は厳重に注意ということで済んだ。中津高校の選手の態度にもアマチュア的でない部分があったということで、後日、彼にも注意を与えるということだった。ただし、今後もう一度、鏑矢がこのような行動を起こした場合、彼の試合出場を停止するということだった。

そのことを沢木から聞かされた鏑矢は「もう、せえへんよ」と言った。

しかし沢木監督はにこりともしないで言った。

「言うとくけど、学校に乗り込んで、ケンカなんかしたらあかんぞ」

「わかってますって」

鏑矢はそう言って笑ったが、その目は笑っていなかった。耀子は、この子は危ないと思った。

翌日の月曜日、ボクシング部の練習時間が来ても鏑矢の姿はなかった。

耀子は嫌な予感がした。練習場を飛び出して、鏑矢の教室に向かった。一年八組の教室にはまだだらだらと遊んでいる生徒が何人かいた。

「鏑矢君、知らん?」

耀子の質問に、一人の男子生徒が嬉しそうな顔をして、

「カブは今日、道場破りに行くて言うてましたよ」

と答えた。

道場破り? ——一体何のこと?

「どこに行くって言うてた?」

しかし場所については誰も知らなかった。

耀子は練習場に戻りながら、鏑矢の行き先は矢澤の通っているジムだと思った。えらいことだ、すぐに何とかしなければ——。

練習場には沢木の姿はなかった。この日、沢木は府の研修で出張に行っていることを思い出した。ああ、何てこと、今日に限って——。

耀子は南野に鏑矢が矢澤の通うジムに向かったらしいことを告げ、今から自分はジムに行くから、いつも通り練習をするようにと言った。しかしそうは言ったものの肝心のジムがどこなのかわからない。

「誰か、矢澤の通ってるジムがどこか知らない?」

「私、知ってます」

何と丸野智子が控えてくれていた。片岡ジムというところだった。彼女は国体予選の出場者の全名簿を作ってくれていたのだ。これには助かった。

すぐに電話番号を調べ、片岡ジムに電話すると、鏑矢は来ていないようだった。耀子は自分の学校と名前を告げ、鏑矢という生徒が来たら、私が行くまで引き留めておいてくれと頼んだ。

耀子が練習場を出ると、木樽と丸野が追いかけてきた。

「ぼくらも一緒に行きます」

それは心強かった。

三人で学校を出てタクシーに乗った。

「鏑矢は多分、電車とバスを使ってますから、ぼくらの方が早いと思います」

「そうだといいけど——」

片岡ジムはJR難波駅の近くにあった。恵美須高校からは車で十分のところだったが、道路が混んでいて車はなかなか進まなかった。耀子はいらいらしてきた。

「鏑矢君は道場破りなんかするつもりじゃないと思いますよ」

丸野はいつものにこにこした表情で言った。「多分、鏑矢君、中津高校の選手にスパーリングを申し込むんじゃないでしょうか」

それを道場破りと言うんやないの、という言葉を呑み込んだ。こんなところでそんな話をしても仕方がない。それよりも車が早く渋滞を抜けてほしかった。

鏑矢と中津高校の生徒と二人だけの話で済むとは思えなかった。プロのジムというのがどんなものか知らなかったが、あんな火の玉小僧のような鏑矢が乗り込んで、紳士的なやり取りが行われるとは思えなかった。最悪は暴力事件――そうなれば大スキャンダルだ。それに袋叩きに遭うのは鏑矢の方だ。

ようやくタクシーがジムに着いた。ジムの建物は近代的なビルで、窓には「女性のボクササイズ大歓迎」と書かれていた。おどろおどろしいものを想像していた耀子は少しほっとした。しかしジムのドアを開けた時、遅かった！　と思った。いきなり鏑矢の大声が聞こえたからだ。

「早《は》よ、鳴らせや！」

耀子は声がする方を見た。部屋の隅に置かれた小さなリングに鏑矢がヘッドギアとグローブをつけて立っていた。既にランニングと短パンに着替えている。リングの中にはもう一人の若者が同じ恰好で立っていた。矢澤ではなかった。

「鏑矢君！　これは何なの？」

耀子は言った。鏑矢は耀子たちの姿を見て驚いた顔をした。

「ただのスパーリングや。ケンカとちゃうで」

「待ちなさい。勝手なことはせんといて！」

耀子はリングに上がろうとしたが、ジムの男に肩を摑まれた。

「まあ、落ち着けや、姉ちゃん」

ドスの利いた声だった。眉毛が半分切れた顔が耀子を睨《にら》み付けていた。目の上が厚く腫《は》れたようになっていて鼻が潰《つぶ》れていた。耀子はぞっとした。

「あなたは誰ですか？」

「ここのもんや。あんたこそ誰やねん？」

「私は恵美須高校の教師です。そこにいるのはうちの生徒です」

耀子はリングの上の鏑矢を指さした。

「あの生意気なガキの先公か。何か知らんが、いきなり飛び込んで来て、矢澤とスパーリングをやらせろ言うてきたんや」

「それで？」

「矢澤は今日は休みや言うたら、さんざんジムの悪口言いやがってな。ほんま、しつけも何も出来てないガキやで」

耀子は頭を抱えたくなった。その時の鏑矢の様子が目に見えるようだった。もう取り返しがつかない。

「そこまで元気あるんやったらスパーでもやって帰るか言うたら、自分からリングに上がりよったんや。何や文句あるんか」

「生徒の暴言は謝ります。だからスパーリングなんてやめてください」

耀子はそう言うと、鏑矢の方を向いて、「リングから降りなさい」と命じた。その時、ゴングが鳴った。

リングの中にいた男が鏑矢に襲いかかった。鏑矢よりも一回りも大きい男だった。

「止めてください！」耀子は叫んだ。

「三分後に止めたるわ」

眉毛の切れた男はそう言って凄んだ。耀子はリングに上がろうとしたが、男に腕を摑まれた。

「練習の邪魔をするなや！」

「痛い！　離して」

「三分経ったら離したる」

リングではすでにスパーリングが始まっていた。練習生たちがリングを取り囲み、仲間に声援を送っていた。

「叩きのめしたれ！」

「ぶち殺したれ！」

ぞっとするような恐ろしい言葉が飛び交った。

しかしその声援は一瞬にやんだ。鏑矢のパンチを受けて、相手が引っくり返ったか
らだ。耀子の腕を摑んでいた男も思わずその手を離した。

リングの中の男は立ち上がったが、戦意を喪失しているのが耀子にもわかった。

「大丈夫や」

「効いてへん、効いてへん！」

リングサイドの仲間たちは大きな声で叫んだ。

鏑矢は男に猫のように飛びかかると、鋭いパンチを浴びせた。ロープ際に亀のよう
に身を丸めた男の脇腹を打つと、男はそのましゃがみ込んだ。

「よっしゃあ！」鏑矢は右手を突き上げた。「次は誰や！」

「このボケ、俺が相手や」

スキンヘッドの男がリングに入った。

「もうやめて！」耀子が言った。

「もう遅いな。このままでは済まされへんで」

眉毛の切れた男が言った。

「木樽君、警察に知らせて！」

木樽と丸野がジムを出て行こうとすると、練習生たちが二人を捕まえた。

「先生、心配いらんて」リングの上から鏑矢が暢気《のんき》な声を出した。「スパー終わったら、みんなで一緒に帰ろ」

「ただで帰れると思てんのか」

リングに入ったスキンヘッドの男がマウスピースをはめながら言った。「言《ゆ》うとくけど、俺は六回戦やで」

「それがどないしてん」

スキンヘッドの顔色が変わった。「ゴングを鳴らせ！」

ゴングが鳴ると同時に、男は鏑矢に迫ってパンチを振り回した。しかし鏑矢はひょいひょいとパンチをかわすと、左ジャブをびしびし当てた。男はムキになって鏑矢に突っ込んだが、鏑矢は闘牛士のように軽々と身をかわした。

スキンヘッドが鏑矢の左をかわして入った瞬間、鏑矢の右アッパーが顎を突き上げた。男は膝を折ってリングに両手をついた。

「塚原さんを呼んでこい！」

誰かが怒鳴った。

「誰や、塚原って？」鏑矢が言った。

「日本ランカーや、フェザー級の四位やぞ。お前なんかボロボロにされんぞ」

「日本ランカーがなんぼのもんじゃ。早《は》よ連れてこんかい！」

鏑矢はリングの上で仁王立ちして怒鳴った。

こいつって何て子なのと耀子は思った。敵地とも言えるジムに単身で乗り込み、日本ランカーさえも恐れない——桁外れの無鉄砲だ。しかしそう思う一方で、そんな鏑矢に感動している自分にも気付いていた。この子は素敵だ！

「どないしたんや、塚原いうのはおらんのか。ほんならお前ら束になってかかってこいや」

この言葉は余計だった。練習生たちは「何を！」「いてまえ！」と喚《わめ》きながら一斉にリングに上がろうとした。鏑矢もグローブを外して、ケンカに備えた。

「そこまでにしとけ！」

鋭い声が響いた。

練習生たちは声のした方を振り返って動きを止めた。ジムの奥に通じた部屋の扉に背広を着た中年の男が立っていた。

「杉村さん――」練習生の一人が言った。

杉村と呼ばれた男はゆっくり歩いて来た。小柄な男だったが、全身から迫力が漂っていた。練習生たちが微動だにしないところを見ると、かなり恐れられている男なのだろう。

「さっきから見とったけど、このガキは六回戦以上の力がある」

練習生は皆黙った。

杉村はリングの鏑矢に向かって、「お前、高校生か」と訊いた。

鏑矢はロープにもたれながら、ああ、とぞんざいに返事した。

「おっさん、誰やねん？」

「俺はここのトレーナーや」

「ふーん」

「どこのジムで習《なろ》た？」

「大鹿《おおが》ジムや」

大鹿ジムと聞いて杉村は肩をぴくりと動かした。

「曾我部《そがべ》さんか？」

「曾我部のじいさん、知ってるんか」

「曾我部さんを知らんもんはおらんわ」

杉村は苦笑しながら言った。「あのじいさんも、えげつないのをこしらえたな」

鏑矢はじっと杉村を見つめた。

「ところで小僧、今日は何しに来たんや？」

「矢澤とスパーリングしに来たんや」

「矢澤って誰や？」

「ここの練習生やないか」

鏑矢の言葉に、杉村は練習生たちの方を見た。

「去年、入門した高校生です」と練習生の一人は言った。「今日は休みです」

杉村はうなずくと、鏑矢に「何でそいつとスパーリングしたいんや？」と訊いた。

「ちょけた態度がむかつくからや」

杉村は笑った。

「矢澤いう奴はうちの練習生らしいけど、お前の敵やないわ。お前も弱い者いじめはやめとけ」

鏑矢は複雑な表情をした。

「今日のところはおとなしく帰れ。日本ランカーとスパーがやりたかったら、いつでも来い」

鏑矢はヘッドギアを外すと、グローブと一緒にリングの上に丁寧に置いた。練習生たちが彼の動きをじっと見つめている。全員、隙があれば飛びかかろうという目をしている。

鏑矢はいきなりリングを飛び降りると、そばに置いてあった自分の鞄を摑んでジムを飛び出して行った。あっという間のことで、残された者は皆、唖然《あぜん》としていた。耀子たちも呆気《あっけ》にとられていた。

杉村は一人大笑いした。それからおかしそうに言った。

「つむじ風みたいな奴やな」

翌週の土曜日、長居高校で国体予選の準決勝と決勝が行われた。

耀子はこの一週間ずっと気が重かった。鏑矢はもう矢澤のことなんか忘れたみたいに、練習場では冗談ばかり言っていたが、瞬間湯沸かし器の彼のことだから、会場で矢澤の姿を見たらどうなるか想像がつかなかった。

あらためてとんでもないクラブの顧問を引き受けてしまったと思った。何か起きたら教師の責任問題に発展する。問題が起こる前に辞めさせてもらいたいと思った。

耀子は授業を終えて、木樽や南野たちと共に学校を出た。鏑矢は計量と検診があるので、学校を早退して一足先に会場に向かっていた。もう矢澤にはからまないと鏑矢は約束していたし、沢木監督も付いているから大丈夫だとは思っていたが、やはり心配だった。

会場に着くと、鏑矢が手持ちぶさたげに端のマットに座っていた。その横には沢木の姿もあった。その様子にほっとした。

「鏑矢君、調子はどう？」

「普通」鏑矢はぶっきらぼうに答えた。

「おとなしくしてた？」

「計量の時に、しょうもないことやりよって――」沢木が吐き捨てるように言った。

「あなた、何かしたの？」

鏑矢は横を向いた。

「矢澤が計量で裸になって秤に乗ってる時に、トランクス摑んで、衝立《ついたて》の向こう側に投げよったんです」

「なんちゅうしょうもないことするの。あなた、年なんぼ？」

耀子は鏑矢にきつい口調で言った。

「計量終わってパンツなかったから焦っとったで。チンポ押さえて、パンツ取りに走っとったわ。アホ丸出しやで」

「アホはあなたよ！」

耀子は呆れた。先日の単身で敵地のジム乗り込みをした時の勇猛さに比べて、何というレベルの低い行動か。こいつの思考回路はまるで子供だ。

「向こうがおとなしとったからよかったけど、気の強い奴やったらケンカになってたぞ」

「別にええで」

「アホ！　そんなことになったら、お前も出場停止や。あんな奴のために国体に行かれへんのは阿呆らしいと思わんのか」

「鏑矢」南野が言った。「いつか、あいつとはリングの上で決着つけてくれ。そやから、私闘みたいなことはするな」

鏑矢は黙ってうなずいた。

試合はいつものように軽いクラスから始まって、七試合目に鏑矢がリングに上がった。相手は朝鮮高校の生徒だった。ほとんどの高校のボクシングユニフォームが紺や青を基調としたものだったのに、朝鮮高校のユニフォームは赤だった。

「赤って、何か闘争的な色ね」

耀子が南野に言った。するとそれが聞こえたのか、リングの上から鏑矢が「あれはキムチの色やで」と言って笑った。

両者がリング中央に呼ばれた。相手選手の鋭い目付きを見た時、耀子は少し不安になった。

相手は日本人と変わらないように見えるけど外国人なんだとあらためて思った。するとこの試合は日本人と朝鮮人の戦いなのだ——。

「朝鮮高校って強いんでしょう?」

耀子は南野に訊いた。

「大阪では一、二を争う強豪です」

「どうして朝鮮高校がそんなに強いのかしら?」

「あいつらは精神力があります。日本人よりも根性がありますね」

「そうなの?」

「民族がちゃうからな」

と飯田が言った。

「それもあるかもしれませんが、多分、ぼくらよりもハンデを背負っている分、精神的に強いんやと思います。強気でがんがん来ます。それに、ええ選手は本国に行ってナショナルチームとも練習を積んでるとも聞いています」

耀子は朝鮮高校の応援席を見た。試合が始まる前に早くも朝鮮語で大きな声援を送っている。独特の破裂音のせいか激しく戦闘的に聞こえる。大阪は在日コリアンが日本一多く住んでいる町だというのは知っていたが、それでも圧倒的にマイノリティであるのは間違いない。おそらくは差別も受けているだろう。彼ら朝鮮高校の生徒たちは生まれた時からそんな世界で戦ってきたのだ。鏑矢は負けるかもしれないと耀子は思った。

その時、ゴングが鳴った。

両者はリング中央でパンチを交換した。朝鮮高校の選手の右と鏑矢の左がぶつかって激しい音を立てた。あれ、と耀子は思った。鏡を見ているみたい。

「あの選手、ジャブを右で出している」

「サウスポーですね」と南野が言った。

「サウスポー？」

「左構えの選手です。オーソドックススタイルとは構えが全部逆です。朝鮮高校の選手には多いんです」

そうか、それでオーソドックススタイルの鏑矢とは鏡に映るような形に見えるのか。

「鏑矢はサウスポーとやるのは初めてやったと思います」

リングでは互いにジャブを出し合っていたが、互いの手と手が何度もぶつかった。

「鏑矢君はやりにくそうね」

「サウスポーは少ないから、慣れないとやりにくいです。反対にサウスポーはふだんもオーソドックスと戦ってるから、やり慣れています」

耀子はうなずいた。たしかに心なしか鏑矢は攻めにくそうな感じに見えた。

朝鮮高校の応援団が朝鮮語で大きな声で声援を送っている。何を言っているのかわからない。耀子は不安を感じた。

「鏑矢くーん、負けないで！」

丸野が大きな声で叫んだ。それに続いて木樽や野口たちも「行け行け鏑矢！　行け行け鏑矢！」と声援を送った。

朝鮮高校の選手のジャブに鏑矢が下がった。相手は前進してジャブを連続して打った。その瞬間、鏑矢はそれをかいくぐると、いきなりの右ストレートを打ち込んだ。相手は左手でそれをブロックしたが、連続して打ち込んだ鏑矢の左はよけられなかった。肩越しに飛んできた左フックをテンプルに受けて、一瞬棒立ちになった。

レフェリーがスタンディングダウンを取った。

カウント８で試合は再開された。鏑矢は飛びかかるようなステップで相手に近付くと、体を沈めて右をボディに打った。続けて同じ右を顔面に打った。それから体を捻《ひね》って右アッパーを打った。

「右のトリプルかよ！」観客席の誰かが感心したように言う声が聞こえた。

朝鮮高校の選手が鼻血を出した。しかしその闘志はまったく揺るがなかった。右ジャブから左ストレートを鏑矢に向かって繰り出した。鏑矢はバックステップしてそれをよけた。相手はかまわず左右のフックを振るった。鏑矢は一つはブロックして、もう一つは頭を下げて空振りさせた。その時、パンチの風を切る音が耀子にも聞こえた。すごいパンチだわ——あんなのをもらったら倒れてしまう。

鏑矢がジャブを当てた。相手はいきなりの左ストレートを打ってきたが、鏑矢は相手の右に回って、それを外した。

「うまいわ、カブは」南野は感心するように言った。

鏑矢は左で相手のボディを打った。相手が「うっ」という声を出すのが聞こえた。相手はロープを背にした。鏑矢は左右にステップを踏みながらパンチを打った。相手が防戦一方になった時、レフェリーはストップをかけた。

「やったー！」

鏑矢のRSC勝ちが決まった瞬間、丸野は歓声を上げた。

リングから降りてきた鏑矢はいつものように飄々《ひょうひょう》としていた。

「相手ぎっちょやったから、最初びっくりしたわ」

鏑矢は笑いながらそう言ったが、すぐにその顔色が変わった。次の試合のためにコーナーの下にいた矢澤とすれ違ったからだ。耀子はとっさに鏑矢の腕を摑んだ。

「子供やあるまいし、やめてくれよ」

「子供みたいな真似したのは誰よ」

鏑矢は苦笑したが、耀子はそのまま鏑矢の腕を取って会場の外まで連れ出した。

会場から選手がアナウンスされる声が聞こえてきた。青コーナーの中津高校の矢澤の名前が読み上げられると、この前と同じようにリングサイドにいた中津高校の女子高生たちの「矢澤くーん」という黄色い声が響いた。それを聞いて鏑矢の顔が歪《ゆが》んだ。続いて赤コーナーの稲村の名前が読み上げられ、玉造高校のボクシング部の男たちの野太い声援の声が上がった。

「矢澤の相手は稲村やったんか」

鏑矢はそう言って会場を覗《のぞ》いた。

耀子もまた試合が気になり、観客席に戻った。鏑矢も付いて来た。

両選手がリング中央に呼ばれた。稲村の強さを知らないのか、あるいは知っていても物怖《ものお》じしないのか、矢澤は口元に余裕の笑みを浮かべていた。痩せて長身の矢澤は稲村よりも少し高かった。

試合が始まった。

矢澤は南野の試合で見せたように、飛び跳ねるようなフットワークで稲村の周囲を回りながら、例の下から突き上げるようなフリッカージャブを打った。

稲村は体を後ろに反らせてそのジャブをかわした。リーチで勝る矢澤はジャブを連打したが、稲村は軽く後ろに下がって、ジャブの射程から逃れた。

「稲村君、手を出さないね」

耀子は鏑矢に言ったが、鏑矢はリングを睨《にら》んだまま返事をしなかった。

レフェリーがストップをかけ、稲村に戦うように注意を与えた。

「稲村君でもやりにくい相手なのかしら」

試合が再開された。

矢澤が跳ねるようなフットワークを使いながら、フリッカージャブを打った。稲村は頭を下げて懐《ふところ》に入ろうとしたが、下から伸びるジャブは容易に稲村の接近を許さなかった。

稲村はまた下がった。矢澤は踏み込んでジャブを打った——その瞬間、稲村の凄《すさ》まじい右ストレートが矢澤の顎を打ち抜いた。耀子には矢澤の首がねじ切れたように見えた。矢澤は仰向けに倒れた。

「——クロスカウンターかよ」鏑矢が呟いた。

レフェリーはカウントを取り始めたが、すぐに手を振って試合を止めた。大の字になった矢澤は完全に失神していたからだ。耀子の位置からも、矢澤の両足が不自然にぶるぶる痙攣《けいれん》しているのが見えた。会場が静まり返った。

ドクターがリングに上がり、矢澤の目を指で開き、ライトを当てた。

中津高校の女生徒の何人かは泣いていた。

矢澤は担架に乗せられてリングから降ろされ、そのまま医務室に運ばれた。そのあとを女生徒たちは泣きながら付いて行った。

「あいつ、狙ってたな」

飯田が言った。鏑矢がうなずいた。

「わざと後ろに下がって、相手が踏み込んでジャブ打ってくるのを待っとったな」野口が言った。「最初から右クロス一発で決めるつもりやったんやな」

「右クロスって何？」と耀子は南野に聞いた。

「ライトクロスカウンターのことです」南野が説明した。「相手の左パンチに対して、右腕をクロスさせるように打つカウンターパンチです。最も強烈なパンチの一つです。稲村は最初からその一撃を狙っていたみたいです」

耀子は驚いた。あれが稲村の作戦だったとすれば――最初から倒すつもりだったのだ。スタンディングダウンによるレフェリーストップなんかではなくて、文字通りノックアウトするつもりだったのだ。

――そうか。稲村は先週、矢澤の試合を見ていたのだ。たしか稲村の試合はあの試合の次だったから、目の前で見ていたのだ。そして鏑矢と同様、矢澤のパフォーマンスに激しい怒りを覚えたのだろう。そしてこの一週間、ずっとその怒りを持続していたのだ。その重く暗い怒りは凄まじい。計量中にトランクスを投げるのとは次元が違う。

耀子は思わず身震いした。

第10章　文武両道

空をどんよりとした梅雨の雲が覆っていた。

優紀は冷たい雨に打たれながら、右手に淀川を見つつ堤防の上を上流に向かって走っていた。左手には柴島《くにじま》の浄水場が見える。歩いていると気付かないが、走ると上流に向かって緩やかな坂になっているのがわかる。しかし今の優紀にはこれくらいの負荷はむしろ心地よかった。

この頃は朝のロードワークを一時間に延ばしていた。ランニングも単に走るだけではなく、途中でシャドーボクシングやダッシュを頻繁に入れた。腹筋運動や腕立て伏せも忘れなかった。

この二ヵ月近くの間に、自分でも驚くほど体力が付いてきた。ボクシング部に入った頃は、帰宅すると夕食も食べられないほど疲れ果てていたが、最近では食欲も増し、体重も増えつつあった。持久力だけでなく筋力も増していた。中学時代は一回が精一杯だった懸垂も十回近く出来るようになっていたし、腹筋運動もスクワットもそれまでとは比べものにならないくらい出来るようになっていた。

以前は自宅で授業の復習をやるような体力も残っていなかったが、最近は予習も復習も余裕でやれた。クラスでたまに行われる小テストもほとんど満点だった。毎晩、復習を済ますと、寝る前に夜のロードワークに出かけた。初めの頃は夜に走りに行くことに母は嫌な顔をしたが、最近では十時を回ると、「そろそろランニングやないの」と声をかけるようになった。

母はボクシング部のことは話題にしなかったが、ある日、夕食を食べていると、ぼそっと、「優紀はたくましなってきたね」と言った。

優紀は「そうか」とぶっきらぼうに答えた。母もそれ以上何も言わなかったが、優紀は心の中で母にありがとうと言った。体のことを誉められたからではなく、ボクシング部の入部を許してもらえたと思ったからだ。

ランニングを終えると、その場でシャドーボクシングをした。左ジャブと右ストレートを何度も打った。拳が雨粒を打つ。汗が噴き出して体から湯気が出てくる。

最後はダッシュでフィニッシュした。朝のロードワークを終え、堤防の上に腰を下ろした。眼下に淀川を眺めながら大きく息を吸い込んだ。長い鉄橋をJR京都線の電車が梅田に向かって行くのが見える。

「文武両道」と優紀は呟いた。

これは随分前に高津先生が言った言葉だ。その時も強く印象に残ったが、つい数日前にも同じ言葉を高津先生が口にするのを聞いた。

練習を終えて学校を出ると偶然高津先生と一緒になった。駅までの道すがら高津先生がふと「木樽君が強くなったら、まさに文武両道ね」と言った。

「ぼくなんか文武両道にはほど遠いですよ」優紀は慌てて言った。「それに文武両道って、随分古い言葉ですね。死語じゃないですか」

「死語か——そうかもね」

高津先生はうなずいた。優紀は高津先生と会話をすると、いつも緊張する。

「でも、私は好きな言葉よ。何というか、本物の男を表している言葉だと思うの」

「本物の男ですか——」

「男っていかに知性と教養に優れていても、力がなかったら、何か悲しいじゃない？この『力』って抽象的な力やないよ。もっと露骨な戦う力よ」

「はい」

優紀はその通りだと思った。ケンカに強いことなんか何の自慢にもならない。そんなものが通用するのは子供時代だけだ。しかし——それでも男は強くなければいけないと思った。

「でも、いくら力があっても、頭がからっぽなら、もっと悲しいわね」

優紀はうなずいた。

「知性があって力もある——そういう男って、本物の男やと思わへん？」

高津先生はそう言って優紀をのぞき込んだ。優紀はその美しい顔を見た時、思わず自分の頰《ほほ》が紅潮するのがわかった。そう意識すると急に胸がどきどきしてきた。

「男は強くなければ生きていけない、しかし優しくなければ生きている資格はない——」

「そうなんですか」

高津先生はおかしそうに笑った。

「フィリップ・マーロウの有名なセリフよ。チャンドラーのハードボイルド小説の主人公よ。私、この言葉ってすごくかっこいいと思うの。何かこう、文武両道に通じるものがあると思わない？」

「思います」

その夜、優紀は半紙に「文武両道」と書き、自分の部屋に飾った。自分が目指すものはこれだ！

立ち上がると、堤防の上でシャドーボクシングをした。さっきよりも雨足が強くなっていたが、体はもう十分に暖まっていた。

国体の大阪予選を終えた後、優紀は何度もマスボクシングをしていた。沢木監督がやらせてくれたのだ。

最初の頃は14オンスのグローブを使っていたが、ガードがしっかり出来るようになったと判断され、12オンスのグローブでのマスボクシングを許されるようになった。たったの2オンス――約57グラム軽くなっただけで、グローブの感触が全然違った。パンチを出す時のスピードが跳ね上がった。当然、相手からのパンチのスピードも上がった。

マスボクシングと並行して、いくつか体の動きを使った防御テクニックも教えてもらった。膝を曲げて上半身と首をすくめて相手のパンチを空振りさせるダッキング、背中を後ろに反らせて相手のパンチの射程距離から逃れるスウェーバックだ。ダッキングという名前は、アヒルが首をひょいひょい動かしながら歩く様子から名付けられたと聞いた時はなるほどと思った。

ダッキングとスウェーバックは効果的な防御法だが、多用すると、相手から動きを予測されて危険な一面もあるということだった。それよりは足を使ったサイドステップとバックステップを使えと言われた。またパリーというテクニックも教えられた。これは相手のパンチをグローブで払うテクニックだ。内側に払い落とすインサイドパリーと外側に払うアウトサイドパリーの二つがある。しかしこれも相手にフェイントを上手く使われると、ガードが空いてしまうので危険な一面があるということだった。

沢木監督は、「一番確実で安全なのはガードとブロックだ」と言った。だからマスの時には、それだけは徹底して注意された。

マスの相手は南野が買って出てくれることが多かった。鏑矢が相手してやると言ってくれたが、沢木が止めた。鏑矢の動きは変則的なので、基本をしっかりやる期間の優紀にはプラスにはならないというのが理由だった。

南野は国体予選の後、クラブを引退していたが、それでも週に三日以上は練習に顔を出していた。根っからボクシングが好きなのだ。新しいキャプテンには飯田がなっていた。

南野は優紀のパンチを敢《あ》えてよけることはせず、きっちりとグローブで受けてくれた。しかし棒立ちになって打たれるのではなく、適度に動いて、優紀にパンチを出させてくれた。また優紀が不用意に近付いたり、ガードを下げたりすると、すかさず軽いジャブを打ってきた。決して本気のジャブではなかったが、何度も優紀の顔面を捉えた。相手からジャブを受けるのも、距離感と防御テクニックを身に付けるためのいい訓練になる。

優紀は南野とマスをやりながら、こんな上手い先輩なのに高校時代に一度も勝てなかったというのが不思議な気がした。時々ふと、自分も一度も勝てないのではないかという気がしたが、その考えは打ち払ってマスボクシングに集中した。

回数を重ねるうちに、最初はまったく摑めなかったタイミングもだんだんと摑めるようになってきた。時々は南野のガードの空いたところにジャブが決まるようになったし、南野のジャブもうまくかわせるようになってきた。そしてスタミナも持つようになってきた。初めてマスボクシングをした時には1ラウンドでふらふらになったが、今では2ラウンド続けてやっても平気だった。

焦る気持ちはなかった。どうせ一年間は試合に出られないのだ。だったらそれまでにたっぷり体力と技術を身に付けておくことが大切だ。

それに鏑矢という素晴らしいお手本がある。彼の試合を見て、そのいいところを出来るだけ吸収するのだ。いつかは鏑矢とマスボクシングが出来るようになりたい。


鏑矢は国体の大阪予選で優勝していた。インターハイ大阪予選に続いての優勝だった。ただし国体はインターハイと違い、七月半ばに行われる近畿予選を勝ち抜かなくては全国大会に出場出来ない。もっとも鏑矢は自信たっぷりだった。

優紀は国体予選の鏑矢の試合を見て気付いたことがあった。それは彼の試合が他の選手の戦いぶりとは全然違っていたことだ。

それまでも鏑矢が他の選手とはどことなく違う感じはしていたが、それは単に鏑矢が圧倒的に強いせいだと思っていた。しかし試合をいくつも見ているうちに、他の選手と異なる点がはっきり見えてきたのだ。

一番の違いはパンチの打ち方だった。ほとんどの選手が回転の速い連打をするのに対して、鏑矢は一発一発力を込めて打っていた。

優紀が沢木監督に教わったのは「小さく速く打て！」だった。パンチは打つスピードも大事だが、引くスピードも大事だ、でないと素早くパンチを叩き込むことが出来ない。大きなパンチは命中率が低いし、隙も大きくなる。恵美須高校の部員たちはもちろん、他校の選手たちも皆、沢木の言うように速い連打を出していた。

しかし鏑矢は、左ジャブだけは素早く引いていたが、左ストレートと右ストレートは打って引くというよりも、そのまま振り抜くという感じだった。特にフック系のパンチは腰と肩が半回転するくらいの勢いで振り抜いていた。手数《てかず》を稼ぐというよりも一発の衝撃力に重きを置いたようなスタイルだった。

優紀はそのことを一度沢木監督に尋ねたことがあった。

「鏑矢のパンチの打ち方はどうなんでしょうか」

「あいつの打ち方が違うのがわかったのか?」

「はい」

「どう違う?」

「鏑矢のパンチは、何というか、引かずに振り抜いている感じがします」

「うん」と沢木はうなずいた。「パンチの打ち方はいろいろある。一つは鞭《むち》のように打つやり方——当たる瞬間にスナップを利かしてばしっと打つんや。もう一つは鏑矢みたいに、すこーんと標的を打ち抜く打ち方や」

「どちらがいいんですか?」

「トレーナーによって、意見の分かれるところやな。打ち抜く方が強いのはたしかや。しかし欠点もある。コンビネーションのパンチの回転が遅くなるから単調になるということと、空振りした時に隙が大きくなることや」

「スナップを利かしたパンチはそういう欠点が少ないということですね」

「そういうことやな。一番の利点は連打がしやすいということや」

「先生は、前に鏑矢の真似はするなと言いましたが、それはパンチの打ち方のことなんですか」

「アマチュアボクシングは二分3ラウンドしかない。グローブも大きいし、ヘッドギアもつけてる。簡単にノックアウトは出来《でけ》へん。それなら手数を出してポイントを稼ぐ方が有効や」

「はい」

「鏑矢はたしかにパンチ力はある。そやからああいう打ち方が出来る」

「鏑矢くらいパンチ力があったら、ああいう打ち方の方がいいということですか」

「そうとも言えん。さっきも言《ゆ》うたように欠点はあるからな。いくらパンチ力があっても、当たらへんかったら意味がないやろう。それに10のパンチ一発よりも7のパンチ二発の方がダメージが大きいということもある。さらに言うたら5のパンチ三発の方がダメージが大きい」

「はい」

「鏑矢はたしかに圧倒的に勝ち抜いているが、全国で通用するかどうかはわからん」

「負けるんですか？」

「それはわからへんけど、上には上がいる。鏑矢が今まで見たこともないような回転の速いパンチを打つ奴がいないとは限らん。そういう相手と出会った時に鏑矢がどう戦うか、やな」


沢木の言葉は優紀を緊張させた。

優紀が鏑矢の戦いぶりで気付いていることがもう一つあった。それはガードが極端に低いことだ。

恵美須高校の全部員はいつも沢木監督から「ガードを上げろ！」とくどいほど言われている。マスボクシングの時はもちろんシャドーボクシングをしている時もサンドバッグを打っている時も、監督は少しでもガードが下がっているのを見付けると、必ずガードを上げるように注意をした。だからもう「ガードを上げる」ということはほぼ体に染み付いているといっていい。ところが鏑矢は練習でも試合でもいつもガードが低かった。いや、低いというよりもほとんどしていないという感じだ。しかし沢木監督はなぜか鏑矢にはガードの注意はしなかった。

そのことも優紀は監督に尋ねたことがある。

「あいつはな――」沢木監督は吐息混じりに言った。「言うても聞かんしな」

優紀がその説明では納得しないと見ると、監督は言った。

「ガードのいいところは確実に相手のパンチを防げるとこや。ただし、ガードした手は攻撃には使えへん。これがガードの長所と短所や。しかしガードを下げて戦うと、いつでも両方の手が攻撃に使える。カブがやってるのはこれや。徹底した攻撃重視のスタイルなんや」

なるほどと思った。

「しかしガードを空けていると、相手のパンチは体をよけてかわさんといかん。これはよほど目のええ選手やないと出来ん。目のええいうのは視力のことやないぞ。動体視力と反射神経や。一歩間違うとパンチを喰《くら》う」

「はい」

「俺はガードは一番大切なものやと思ってる。敢えて言えば、パンチを出すことよりも大事なことやと思ってる。ガードこそパンチのダメージから身を守る一番の防具や。そやからガードだけは徹底して教える。これは俺の信念や」

沢木は珍しく強い口調で言った。

「カブの奴は中学時代にプロのジムで習《なろ》たスタイルが身に染み付いているんや。目に自信があるもんやから、なんぼ言うても直そうとせえへん。それに多分、あいつは相手のパンチを舐《な》めてるんやと思う。一発や二発喰らってもどうってことないと思っているふしがある」

沢木監督は静かに言った。

「あいつも、いずれガードの重要性に気付く時が来る」

沢木監督の予言が正しいか正しくないかは優紀にはわからなかったが、自分には鏑矢の真似は出来ないということだけはわかった。

一緒に練習して鏑矢が凄い才能の持ち主だということは実感していた。何しろ部員の中で一番練習しない。20ラウンドの練習のうち、正味力を入れて練習しているラウンドは半分もないだろう。あとは手を抜いたり適当に流したりしていた。それでも本人は楽しいらしく、いつもにこにこしながらやっていた。マスボクシングでは誰も鏑矢に触れることさえ出来なかった。ガードなんかほとんどしないでひょいひょいパンチをよけながら寸止めのような軽いパンチを自在に決めていく鏑矢を見て、優紀は羨《せん》望《ぼう》と同時に時々むなしい気持ちになる時があった。もしかしたらボクシングは才能による部分がものすごく大きいスポーツではないか。その思いが浮かぶたびに、自分は鏑矢のような一流選手を目指しているのではないと自らの心に言い聞かせた。自分自身をどれだけ伸ばせるかというのが大事なのだ。自分の限界一杯までやれたら、それで満足だ。

七月の初旬に近畿選手権があった。

出場者は大阪、京都、兵庫、奈良、和歌山、滋賀の近畿二府四県のインターハイ予選優勝者だ。モスキート級とミドル級を除く七階級の優勝者は全国大会への出場が決まっていたため、これは近畿のナンバー1を選ぶための大会だった。

大会を約一週間後に控えたある日、沢木が鏑矢に「近畿選手権、どうする?」と聞いた。

「どうするって?」

「出場するか?」

「出るの決まってるやん」

たまたまそばにいた優紀は、監督は何を言ってるのだろうと思った。顧問の高津先生も同じ疑問を持ったらしく、「近畿選手権に出場すると、何か不都合があるんですか?」と沢木監督に聞いた。

「今年は近畿選手権の二週間後に国体の近畿予選があるんです」と沢木は答えた。

「ハードスケジュールですね」

鏑矢は国体の大阪予選で優勝していたから、その近畿予選にも出場が決まっていた。

「全然ハードスケジュールやないで」

鏑矢が言った。沢木はそれを無視して高津先生に言った。

「日本アマチュアボクシング連盟の規約では、RSC負けした選手は最長四週間試合には出られないんです」

「あっ」

「そういうことです。もし鏑矢が万が一RSCで負けると、二週間後の国体の近畿予選は出られないことになります」

「負けるわけないやん!」

鏑矢が憮然《ぶぜん》とした顔で言った。

「近畿選手権は近畿二府四県の優勝者が集まる大会や。どんな強豪が出てくるかわからん」

「そんなん関係ない」

「まあ聞け、カブ。お前はもうインターハイの全国大会の出場を決めてるんやから、近畿選手権を棄権したところで、どうってことない。でもな、国体の近畿予選は大事な大会や」

「嫌や！」

沢木は苦笑した。

「どうしてRSC負けすると、四週間も試合が出来ないんですか」高津先生が聞いた。「安全性を考えてのことですね。RSC負けした選手は脳にダメージを負っていると考えられています。そのダメージから完全に回復しない状態で試合して、強烈なパンチをもらうと非常に危険です。ボクシングは思っているよりもずっと危険なスポーツなんです」

沢木監督は真剣な顔をして言った。

「でも四週間というのは長いですね」

「ただのRSCなら二週間の試合禁止なんですが、RSCHやKO負けやと、四週間試合には出られないことになってるんです」

「RSCHって何なん？」鏑矢が横から訊いた。

「RSCヘッド、つまり頭を打たれてのRSC負けや。まあダウンを取られる場合はたいてい頭にもらったパンチやから、実質的には、ほとんどのRSCがRSCHになるわけや。あともう一つは、ボディへのパンチで倒れた時も頭をリングに打ちつけてストップされたらRSCHや」

「俺、頭なんか打たれて倒れへんて」

鏑矢が不満げに言った。沢木はため息をついた。

「よし、わかった。出場してもええ」

「やった！」

「ただし条件がある。一度でもダウン取られたら即タオルを投げる」

「なんで？」

「セコンドがタオルを投げると、棄権負けになる。棄権負けはRSC負けやないから、二週間ないし四週間試合出来ないというルールには抵触せえへんのや」

「おお、監督、頭ええ！」鏑矢は喜んだ。

しかしすぐ後に、「俺がダウンなんか取られるわけないやん！」と言った。

「もし取られても、そんなんすぐ逆転する。タオルなんか、嫌や！」

「この条件が呑まれへんかったら、出場させへん。お前は国体の大阪代表なんやから、そっちの方が責任は重いからな」

鏑矢は口を尖らせた。

「それともお前、ダウン喰うかもしれんと思ってるんか」

「ダウンなんか取られませんよ。その条件で出ますわ」

沢木はうなずいた。

「まあ、向こうも同じ条件やから、一回でもダウン取ったら、すぐにタオル投げてくると思う。多分、楽な試合になる」

高校近畿選手権の会場は二府四県で毎年持ち回りだったが、今年は京都の番で、烏《からす》丸《ま》高校で行われた。

近畿選手権は近畿ナンバー1を決めるだけの大会だったが、45キロ以下のモスキート級と上限のリミット75キロのミドル級だけは近畿選手権に優勝しなくてはインターハイの全国大会には出られない。いずれも選手層が薄いための措置だった。この二つのクラスは大阪予選でもエントリーが二、三人しかいなかった。

他の階級の選手たちは既にインターハイ出場が決まっていたから、いわば名誉をかけた大会だが、それだけではない意味合いも含んでいた。というのは二週間後に行われる国体の近畿予選の前哨戦《ぜんしょうせん》でもあったからだ。近畿選手権の各府県の出場者のほとんどは国体の各府県の代表でもあったから、この大会に勝てば、次の国体近畿予選もかなりの確率で制することが出来るというわけだ。

出場者はモスキートからミドルまでの九階級、一階級の出場者は最高で六人だったから、大会は三日かけて行われた。

鏑矢はクジ運の関係で初日には試合がなく、翌日の土曜日に準決勝を戦った。相手は兵庫代表だが、1ラウンドに最初のダウンを奪った時、相手側セコンドがタオルを投げた。おそらくその選手も国体近畿予選の出場が決まっていたのだろう。

翌日の日曜日に京都の代表と戦い、これも1ラウンドで相手側の棄権により、あっさりと近畿ナンバー1になった。これで鏑矢は近畿ブロックの九階級の優勝者の中でただ一人の一年生になった。

京都からの帰りの阪急電車の中で、鏑矢は大はしゃぎだった。

「もうちょっと苦戦するかと思たけど、楽勝やったな。こら、国体の近畿ブロックも優勝は間違いないな」

鏑矢はコンビニで買ったおにぎりを頬張りながら言った。電車に乗ってからずっとおにぎりを食べている。もしかしたら今回は減量で少し苦労したのかもしれないなと優紀は思った。

阪急電車では、向かい合わせの四人座席に鏑矢と優紀、それに高津先生と丸野智子が座っていた。沢木監督と他の部員は別の席に座っていた。

突然、鏑矢が「あの人のすーがた、懐かしいー、たそがーれの河原町ー」と歌い出した。

「電車の中で歌うのはやめなさい」と高津先生が注意した。

「はい、ごめんどす」

鏑矢はふざけた京都弁で答えた。

「鏑矢君は高校に入って負け知らずでしょう?」丸野が聞いた。

「そうどす。もう九連勝どす」

「すごーい!」

優紀は内心で苦笑した。たしか鏑矢は今日で十連勝だった。自分の戦績さえはっきり覚えていない鏑矢を逆に凄いと思った。自分なら自戦の成績を間違うことは絶対にないだろう。

「俺、多分、高校卒業まで一回も負けへんと思うわ。百連勝くらいするんちゃうかな。当然、高校八冠は確実やし」

「インターハイと国体と選抜や。それを三年間取るんや」

「高校八冠って？」

「そしたら九冠になるよ」

「あれ？　そうやな、何でやろ」

鏑矢は指を折って数え始めた。

「三年生は選抜大会には出られへんの。前に監督が説明してたでしょう」

高津先生が横から口を挟んだ。

「ああ、そうやった。まあ何というか、システムの悲劇やな。そやけど高校八冠取ったら、もう伝説やで。全国の女の子からキャアキャア言われるで」

丸野は手を叩きながら「キャアキャア」と言った。鏑矢は大きな声で笑った。

「二人とも、もうちょっと静かにしなさい」

高津先生が注意した。

十三《じゅうそう》駅で優紀は電車を降り、鏑矢たちと別れた。

優紀は高津先生と同じホームだった。先生のすぐ後ろで電車を待っていると、すぐ目の前に彼女の頭があった。

こんなに近くで高津先生の髪の毛を見るのは初めてだった。ゆるいパーマがかけられていたが、染められていない黒い美しい髪だった。普段学校ではアップにしていることが多かったから、こうして垂らしているヘアースタイルは魅力的だった。香水の匂いが鼻をくすぐった。黒いワンピースの広い襟元から黒いブラジャーの肩紐が見えた。優紀は心臓がバクバクと音をたてていることに気がついた。

不意に高津先生が振り向いた。優紀は慌てて視線を横にやった。

「お茶飲んで帰ろうか」

「えっ」

「時間ない？」

「あります！」

優紀は突然の幸運に声がうわずった。

二人はホーム内にある二階の喫茶店に入った。席に着いた時から、優紀は緊張した。こうして喫茶店のテーブルで向かい合って座っている様子はまるでデートしているみたいに思えたからだ。窓の外には線路と電車の屋根しか見えない喫茶店だったが、関係なかった。

「鏑矢君は相変わらず強いわね」

高津先生は紅茶にミルクを入れ、スプーンでかき回しながら言った。

「あいつは天才です。本当にかっこいいです」

優紀の強い口調に高津先生は笑った。

「天才って、軽々しく使う言葉じゃないわよ」

「でも鏑矢は本当にすごいです。ボクシング始めて、鏑矢の本当のすごさがわかりました。自分でやってみて、真似出来ないくらいすごいというのがわかったんです」

「真似が出来ないの？」

「上手く説明出来ないけど、とにかく速いんです、一つ一つの動きが。今日の試合でもそうですけど、相手のパンチをかわすのがめちゃくちゃ上手いんです。それで、かわした瞬間に打ってる。普通は防御と攻撃って分かれるんです。守ってから、攻撃に移る、という具合に。でも鏑矢の場合は攻防一体なんです。パンチをよけたと思ったら、もう打ってる。どんな練習したら、あんな風になれるのか――」

「木樽君は鏑矢君に憧れてるんやね」高津先生は笑いながら言った。

「よくないですか」

「ううん、そういう意味で言うたんやないよ。自分よりも優れた人を素直に認めて、それに近付くように努力する心って、とても大事なものやと思う。それって青春時代にしかない心やと思う」

「でもぼく、鏑矢になりたい訳やないですよ」

高津先生はうなずいた。

「先生」と優紀は言った。「前に先生が言うてた、文武両道という言葉——あれ、部屋に書いて貼ってます」

高津先生は少し驚いた顔をした。

「ぼくは文武両道を目指してるんです」

高津先生は微笑んだ。「木樽君て、素直な子やね」

「素直というのとは違うと思いますが」

「いい言葉やと思《おも》たから部屋に貼ったんでしょう。素直な証拠やと思うよ。それに言うた本人に告げるのは普通は照れくさくて出来《でけ》へんよ」

「そうなんですか」

「目指してます」

「木樽君なら、もしかしたら文武両道の男になれるかもしれへんね」

「そうなったら、私の理想の男性になるわ」

高津先生はそう言って笑った。優紀は自分の顔が赤くなるのがわかった。何か話そうと思いながらも話題が浮かばなかった。

「丸野さんは鏑矢君に恋してるね」

不意に高津先生が言った。

「そうですか。単にアイドル視してるだけやないですか」

「違う、違う。目を見てたらわかるわよ」

高津先生は楽しそうな顔をした。「でも、いいなあ、あそこまで堂々と好きということを表現出来るって——。若さかな」

「うーん、どうでしょう。彼女は特別やと思います。いくら若くても、好きな人に好きなんてなかなか言えないですよ」

「そうやね」と高津先生は同意した。

優紀は高津先生にも好きな男性がいるのだろうかと思った。多分、恋人がいるんだろうな。だってこんなに綺麗な人だから。

高津先生がふと窓の外を見た。その横顔を盗み見た優紀は、先生はどんな女子高生だったのだろうかと思った。素敵な女の子だったろう。もし同じクラスにいたなら、きっと好きになったに違いない。でも彼女に好かれただろうか——自信はまったくなかった。

　しかし、と優紀は思った。もし文武両道の男になっていたら、彼女は自分に恋してくれたかもしれない。そんなことを考えたら胸が苦しくなってきた。

「丸野さんは変わってますよね」と優紀は言った。

「そうね、あんな風に好きな男の子に堂々と好きとは言えないわね」

「ぼくが言うのは、その、何というか、鏑矢みたいな奴を好きになるということが――」

「あら、おかしい？」

「いや、鏑矢は本当にいい奴ですが、普通の女の子には誤解されやすいところがあって――」

「そうかなあ。鏑矢君を好きになるって、おかしいかな」

「先生が女子高生だったら、好きになります？」

　高津先生は意表を突かれたような顔をした。「どうやろう？」

　彼女は少し考える表情をした。それを見て優紀はショックを受けた。即座に笑って否定してほしかったのだ。

「私、もしかしたら――」高津先生は悪戯《いたずら》がばれたみたいな顔をして言った。「好きになっていたかも」

その瞬間、激しい嫉妬を感じた。高津先生の口からだけは、そんな言葉は聞きたくなかった。高津先生にも、ケンカが強い男に憧れるバカ女と同じようなところがあるのかという失望だった。しかし奇妙なことに喜びに似た気持ちも同時に感じていた。高津先生のような素敵な女性に鏑矢のよさを認めてもらったことに対する喜びだった。優紀はそんな自分の感情に戸惑った。

「先生は、文武両道が好きとおっしゃってたじゃないですか」

優紀は幾分高津先生を非難するように言った。

「うん」

「鏑矢は文武両道ですか？」

「全然違うわね」

高津先生は笑った。優紀はその時、自分が友人を貶《おとし》めようとしていることに気が付いて、激しく自己を嫌悪した。

「鏑矢君は『文』はまったくないけど、『武』もあるかどうかは疑問ね」

「えっ」

「『武』というのは、もっと厳しく道を突き詰めたものやない？　鏑矢君にはそういうとこはまったくないじゃない？　まるでバカでしょう」

優紀は嬉しいような泣きたいような気持ちになった。

「でもね、逆にそこが鏑矢君の魅力かもしれへんね。多分、丸野さんもそこが好きなんだと思う」

「先生も鏑矢が好きなんですね」

「うん」

「それは、女として？」

「えっ――」高津先生は笑った。「まさか」

しかしそう言った時、彼女はほんのわずかに頬を赤くした。優紀はそれを見逃さなかった。

第11章　恐怖心

耀子が新梅田シティにあるウェスティンホテルに着いたのは七時少し前だった。生まれて初めてのお見合いだというのに、全然浮かれた気分ではなかった。むしろ気が重かった。長引く梅雨で、朝から雨が降っていたのもうっとうしい気持ちにさせていた一つだった。

「遅かったじゃない。遅刻するかと思ってドキドキしてたわ」

この日のためにわざわざ神戸からやって来た母が小言を言った。

「七時までまだ十五分あるわよ」

「お化粧は大丈夫？」

その質問は無視した。そもそもお見合いなんかしたくはないし、結婚もまったく考えていなかった。大学を出て一人暮らしを始めてまだ二年しか経っていない。

神戸の家を出て大阪に住むと決めた時にも、母には猛反対されたが強引に押し切った。耀子が選んだのは谷町《たにまち》九丁目の賃貸マンションだった。神戸で生まれ育った母は大阪のど真ん中と聞いて不安そうだったが、耀子が谷町というのは相撲のタニマチの由来になった町だと言うと、何となく由緒正しい町だと思ったらしく安心したようだ。谷九《たにきゅう》は周囲に大きな寺がいくつもある静かな町で、千日前《せんにちまえ》にも道頓堀《どうとんぼり》にも上本町《うえほんまち》にも近くて便利がよかった。気に入らなかったのはマンションのすぐそばに大きなラブホテル街があることだけだった。

ようやく仕事にも一人暮らしにも慣れて楽しくなってきたところだったから、この日は本当にしぶしぶやって来たのだ。母は可愛いワンピースを着ておいでと言ったが、この日の耀子はスーツを着ていた。これも母には不満だったようだ。

お見合いの相手は栗田という名の三十歳の男性だった。東大を出て大手広告代理店に勤めるエリートサラリーマンだった。耀子は「なんでそんな素晴らしい男性が私なんかと見合いするのよ」と言ったが、母は平然と「そら、あんたが美人やからと違うの？」と言った。母が勝手に知り合いに耀子の写真を送っていたらしかった。

もしかしたら相手の男性はチビで暗い性格かもしれないと思っていたが、実際に会ってみると、明るい笑顔の持ち主で、168センチの耀子よりも頭一つ高かった。快活なタイプで、仲人《なこうど》の女性や耀子の母に対しても如才なく話した。

栗田の仕事はテレビコマーシャルの制作らしく、現在作っているCMの裏話を面白おかしく語った。話はよく練られていて、耀子は何度も笑った。

耀子は内心で、これは掘り出し物かもと思った。

ホテルのレストランでの食事を済ませた後、仲人の「それでは、若い人同士で――」とお決まりの言葉で、耀子と栗田は二人きりにされた。

栗田がホテルのバーに耀子を誘った。シックな内装で静かでほの暗い照明のバーだった。

二人は端のテーブル席に座り、栗田はＩＷハーパー12年のロックを注文し、耀子はモスコミュールを注文した。

「乾杯」

二人はグラスを合わせた。

「隣に座ってもいい？」と栗田は言った。

どう言おうかと思っていると、栗田は笑いながら向かいの席から耀子の隣に来た。

「この方が話しやすい」

耀子は栗田の強引さに少し呆《あき》れたが嫌な感じはしなかった。

「いやあ、まさか高津さんみたいな素敵な女性に会えるとは思いませんでした」

「素敵なことはないですよ」

「いや、正直に言って、こんな美人が来ると思ってなかった」

栗田は力強く言った。

「栗田さんこそ、お見合いなんかに来られるような男性とは思えないですよ」

「どういう意味？」

「もてそうな人、という意味」

栗田は否定もせずに微笑んだ。自信に満ちた表情だったが、耀子は不快には感じなかった。

食事の時から飲んでいたワインの酔いが回ってきて心地よかった。お見合いとはいえ、男性と二人きりでお酒を飲むのは随分久しぶりだ。

ここしばらくボクシング部の顧問として、少年たちの戦いの世界に身を置いていたから、久しぶりに大人の時間を取り戻した気分だった。

栗田もなかなか素敵な男性に見えた。結婚はまだしたくはなかったが、お付き合いしてもいいかもと思った。

ふとした拍子に栗田が手を握ってきた。耀子はやんわりと手を引いた。

「高校の先生って、授業が終われば、仕事は終わりですか?」

「いいえ、授業が終わってもいろいろ他の仕事があります」

「でしょうね」

「それに、私はボクシング部の顧問をしてますから」

栗田は口に運びかけていたグラスを止めた。

「ボクシング、ですか?」

「はい」

「高校にボクシング部なんかあるんですか?」

「珍しいですよね。ボクシング部がある学校は大阪府下に十二しかありません」

「それが多いのか少ないのかも判断出来ないですね」

耀子もそうだなと思った。

「でも、ボクシング部の顧問とは意外でした」

「栗田さんはボクシングが好きですか?」

「ボクシングですか——。男らしいスポーツですよね。嫌いじゃないですよ」

耀子は少し嬉しくなった。そして栗田はにっこりと笑って続けた。

「かっこよくていいじゃないですか」

「かっこいいのかどうかはわかりませんが……」

「高津先生が希望したのですか？」

「まさか」耀子は笑って否定した。「業務命令ですよ」

「断れないのですか？」

「うーん……どうしても嫌なら断れるでしょうけど、教師と言っても私立の場合は会社員みたいなものですから」

「じゃあ、ボクシングを好きというわけじゃないんですね」

「そうですね。むしろ、嫌いでしたね。野蛮な感じがして――。今でも、心から好きになれないところがあります」

栗田は微笑んだ。

「高津さんが希望して顧問になったんじゃないって聞いて安心しました」

「えっ」

「実はぼくは格闘技はあんまり好きじゃありません」

「そうだったんですか？」

「ボクシングくらい前時代的なスポーツはないと思いますね。今どき、他人を殴るスポーツって有り得ないでしょう」

「そうですね」

栗田はにっこり笑って身を乗り出してきた。

「ああいうスポーツをやりたがる人種というのは、現代社会には危険なタイプだと思いますね。まあ、はっきり言えば不良ですね。格闘技をする男に憧れる女性も、不良に惚れる女に近いものがありますね」

「古代オリンピックではボクシングの優勝者が最高の栄誉を得たそうですよ」

「健全なる精神は健全なる肉体に宿るというユウェナリスの言葉を知ってますか?」

「ユウェナリスという人は知りませんが、その言葉は知ってます」

「ユウェナリスはギリシャの詩人ですが、この言葉は実は訳し間違いなんですよ。原文は『健全なる精神は健全なる肉体に宿ってほしい』というものです。ユウェナリスはスポーツ選手は頭が空っぽだということを嘆いていたのです」

「うちの部には、特進クラスの優等生がいますよ」

「彼は一流選手ですか?」

そう聞かれて答えに詰まった。栗田は少し得意そうな顔をした。

「一流ではありませんが、彼は文武両道を目指しています」

「文武両道ですか——、その武が、殴り合いですか」

「ボクシングは単なる殴り合いじゃないんですよ」

「ほう」

「高い技術がないと頂点には行けませんし。それに何より日頃の精進《しょうじん》が必要です」

「それはどんなスポーツにも言えることでしょう。ぼくは、相手を殴って戦う競技を選ぶ人間の資質について語っています。でも高津さんがボクシングを好きでなくてよかったです」

耀子はボクシングが嫌いと言ったつもりはなかったから、何と答えていいのかわからなかった。

「人を殴って喜ぶなんて、普通じゃないですよ」

「でも、男の本能には闘争本能というのがあると聞いたんですが……」

栗田は笑った。

「それは今もありますよ。ぼくだってあります。ただ現代では闘争の形が変わってきています。現代の男は社会的地位を獲得するために闘争しています。かく言うぼくも日々戦っています。そしてこれからも戦い続けていくつもりです。ついでに言えば、フリーターやニートは現代の闘争に敗れた人たちか、戦いを放棄した人たちですね」

そうかもしれないと思った。現代はもう男が腕力で戦う時代ではない。金と地位、そして権力を持つ男たちが現代社会の闘争の勝利者なのだ。

急にボクシング部で毎日汗を流している子供たちが可哀相に思えてきた。たしかにそんなことで多くの時間と体力を使うよりも受験勉強でもした方がずっと将来の役に立つ。しかしそう思うと同時に彼らが愛《いと》おしくてたまらなくなってきた。人生で何の役にも立たないものに毎日必死で練習をし、中にはそうまでして高校三年間に一度も勝てなかった子もいるのだ。

そんな子供たちを馬鹿にされたような気がして猛烈に腹が立ってきた。

「栗田さんは高校時代は何かスポーツをしていました？」

耀子の急な質問に栗田は、えっと言った。

「いろいろしてましたよ。スポーツは嫌いじゃなかったですから」

「何かクラブに入ってました？」

「いや、クラブには入っていませんでしたが、テニスとかスキーとかスポーツはいろいろしてました」

「それはレジャーでしょう！」耀子はぴしゃりと言った。「十代の時代に何の打算もなく一所懸命にスポーツに打ち込むって、無駄ですか？」

「いや、そうは言ってません」

「その中にボクシングがあってもいいんじゃないですか？　私の学校のボクシング部には不良なんかいませんよ。いいえ、うちの学校だけじゃないです。他校も同じです。不良なんかが続けられるような甘いスポーツじゃないんです」

耀子の突然の剣幕に栗田は慌てた。

「いや、ぼくは何も、そういうことを言いたいんじゃないですよ。ボクシングはボクシングでかっこいいスポーツです」

栗田はグラスを掲げて言った。

「いやあ、今の会話で、高津さんのクラブの生徒たちに対する愛情を見て、ますます素敵な女性だなと思いました」

栗田はそう言ってにっこりと微笑むと、「高津先生は魅力いっぱいの女性です」と言った。耀子は栗田の笑顔の裏に欲望があるのを見て取った。

「私、そろそろ失礼します」

栗田の顔に暗い怒りの表情が浮かんだ。耀子はエリート夫人を棒に振ったなと思った。でも全然惜しいとは思わなかった。

七月初旬に近畿高校選手権が終わった二週間後に、国体のジュニアの部の近畿予選が行われた。

国体の近畿ブロック大会は個人戦ではなく団体戦だった。それぞれの府県代表が八階級のうちから六人を出し、その成績の総合点を合計して点数の高い上位三つの府県が国体に出場するというものだった。だから個人戦で優勝しても、その府県の他の選手の成績が振るわなければ国体には出場出来ない。その代わり自分が個人戦で負けても他の選手が勝利すれば全国へ行ける。

大阪の代表選手は府内の有力校の監督が集まって決めた。春からのいくつかの大会の成績を考慮して選ばれたのだろうが、その基準は明らかにされなかった。他の府県の選手層をも考慮して選考されたのだろう。他府県に強豪がいる階級にわざわざ挑むよりは、優勝を狙える階級の選手を多く出した方が国体出場の可能性が高い。その意味で、先日行われた近畿高校選手権で優勝した実績のある選手が優先的に選ばれた。

鏑矢はフェザー級の代表に選ばれた。ライト級の稲村と共に優勝が見込める選手だった。監督は前年度の大阪府の監督を務めた玉造高校の苑田監督が務めることになった。

試合は兵庫県神戸市にある塩屋《しおや》高校で行われた。

塩屋高校は兵庫県の強豪校で毎年インターハイや国体の出場者を何人も出していた。もっとも兵庫県でもボクシング部のある高校は十校くらいで、強豪校と言えるのは三校くらいだった。どの県もボクシングというスポーツは超マイナーな競技で、競技人口も少なかった。でも考えてみればサッカーもバスケットも強豪校と言えるのは三、四校くらいなもので、あとはその他大勢の中堅校か弱小校だと耀子は思った。奈良県などはボクシング部のある高校が二つしかないのに毎年国体に出場していると聞いている。結局、トップクラスにとっては競技人口はあまり関係ないのかもしれない。

耀子と南野たちが会場に着いた時には、計量と検診が終わっていた。

会場は大きな建物で、中は二百畳くらいの広さがあった。会場の半分には畳が敷いてあった。聞けば畳の部分は柔道部の練習場で、普段はパーティションで仕切られているということだった。リングは端の方に設置され、その前にパイプ椅子が五十脚くらい並べられていて、応援の観客で八割方埋まっていた。いつものように観客のほとんどが選手の親だった。その後方に当たる畳の部分は選手たちの待機場所および休憩場所になっていた。

その一角に大阪府の代表選手が集まり畳の上に座っていた。既に全員ウォーミングアップは済ましているようだった。しかしその集まりの中に鏑矢の姿はなかった。少し離れたところに一人で座っていた。

「どうしたの。そんなとこで——」

耀子が声をかけると、鏑矢は照れくさそうに笑った。

「なんちゅうか——昨日の敵と同じとこにおんのは居心地がようないというか」

なるほどと思った。いつもは敵同士《かたき》みたいに殴り合っている者が今日は同じ大阪代表として連帯して戦うのだ。まさに呉越同舟だ。

「敵いうたかて、階級が違うから、実際にあなたと戦った人はおらんのやないの？」

「そうなんやけどな。そこが理屈では割り切られへん」

鏑矢はそう言って大阪の代表選手が集まる輪をちらっと眺めた。その時、その選手の一人がこちらを見ているのがわかった。稲村だった。そういうことか、と耀子は思った。鏑矢は稲村と顔を合わせたくないのだ。

いずれリングで戦うことになるかもしれない相手と和気藹々《わきあいあい》と話す気分になれないのは理解出来るような気もした。あるいは稲村も同じ気持ちでいるのかもしれない。稲村がどんな性格の男かは知らないが、鏑矢の気性はよく知っている。些細《ささい》な言葉のやり取りで一触即発の状況にならないとも限らない。あるいは本気で殴り合うような事態もあるかもしれない。

鏑矢が一人離れてぽつんといるのも彼にしては賢明なアイデアかもしれない。それに大阪の代表選手は玉造高校が三人、朝鮮高校が二人で、鏑矢だけが同じ高校の仲間が一人もいなかったから、一人でいる方が気楽だったのだろう。

この日の試合はぶら下がりの六試合だけだった。国体近畿予選で争われる階級は全部で八つだったが、出場選手は各府県六人だったから、エントリーの少ない階級になるといきなり準決勝あるいは決勝からだった。この日、鏑矢の試合は四試合目に予定されていた。

試合はいつものように軽い階級から行われた。国体には最軽量のモスキート級がないため、一番軽い階級はライトフライ級だった。

大阪のライトフライ級の選手は玉造高校の選手だったが、いつもは敵同士の朝鮮高校の選手たちも声援を送った。しかし鏑矢は会場の端の方から退屈そうに見ているだけだった。この子は本当に団体競技というものに向いてないんだわと耀子は思った。

玉造高校の選手に声援を送っていない選手がもう一人いることに気付いた。稲村だった。彼は会場の端で一人黙々とストレッチで体をほぐしていた。同じマイペースでも鏑矢とはタイプが違うと思った。

ライトフライ級は幸先よく大阪が勝った。この大会は一つ勝つと何点、準優勝すると何点、優勝すると何点、というように細かい得点が決められていたが、耀子はその内訳を沢木監督から聞いたが忘れてしまった。

国体出場権を得ることが出来るのは六府県のうち得点上位の三府県だ。滋賀県と和歌山県は他の四府県に比べて力が落ちることから、実質、大阪、京都、兵庫、奈良の争いだった。毎年実力は伯仲していたが、今年は稲村と鏑矢の二人が近畿の高校選手権者だったので、大阪はまず代表は間違いないだろうということだった。

速いテンポで試合が消化され、いよいよフェザー級の試合になった。

鏑矢がリングに上がった。南野や木樽たちが玉造高校と朝鮮高校の応援団に混じって声援を送った。耀子は彼らとは離れて観客席から観戦した。

心なしか鏑矢への声援が少ないように耀子は思った。やっぱり玉造高校と朝鮮高校の選手たちも鏑矢には複雑な気持ちを持っているのだと思った。悪い子ではないのだが、癖の強いキャラだけに、よく知らないと反発を買うタイプだった。

鏑矢の相手は地元の兵庫県の選手だった。二週間前の近畿高校選手権で戦ったばかりの相手だった。その時は鏑矢が1ラウンドにスタンディングダウンを取って棄権勝ちを拾っている。

ゴングが鳴って、いつものように鏑矢が弾むようにコーナーを飛び出した。

最初から相手選手の腰は引け気味だった。攻撃よりも守りに重点を置いたような戦い方だった。試合は鏑矢が攻め、相手が逃げるという形になった。それでも相手選手はガードを固め、バックステップしながら、カウンターを狙った。しかし腰が引けたパンチで、見た目にも威力は少なそうだった。

鏑矢は体と頭を振りながら強引に接近してパンチを出した。しかし相手選手のガードは固く、決定的なパンチを当てることは出来なかった。試合は一方的だった。

「試合になりませんね」

耀子の隣にいた中年の男が呟《つぶや》くように言った。

「どこかの監督さんですか？」耀子は聞いた。

「リングドクターです。もっとも今日は後輩にやらせていますが」

男は審判席を指さして言った。右端に白衣を着た若い男が座っていた。

「私は本田と言います。大阪の高校ボクシングのドクターを二十年やってます」

「高津です。恵美須高校の顧問です」

「鏑矢の高校ですね」

「鏑矢をご存じなんですか？」

「今年の大阪のホープですからね」

耀子はそう言われて嬉しかった。

「相手は消極的ですね」本田はリングを見て言った。「明らかにびびってます」

「はい」

「他のスポーツでもそうですけど、ボクシングは一度徹底的にやられると、こいつには勝てないという気持ちを植え付けられるもんなんです。深層心理に恐怖心が入り込むんですな」

耀子はうなずいた。

まさにリングの上ではそういう戦いが行われていた。鏑矢が攻めると、相手はガードを高く上げ、必要以上にバックステップした。何度か手を出したが、そのたびに鏑矢にカウンターを打たれ、完全に専守防衛になった。

一分過ぎにレフェリーが相手選手に身振りで「ボックスするように」と注意した。アマチュアボクシングでは専守防衛は厳しく注意される。プロとは異なる点の一つだ。度重なると減点を取られ、失格負けとなる。

相手は勇気を奮い起こしたように鏑矢に向かって行った。鏑矢はそのパンチをかわすと、逆に左でカウンターを当てた。相手の頭がぐらりと揺れた。レフェリーはダウンを取った。

カウントを取られている選手の顔にはもう戦意は残っていなかった。不安そうに自分のセコンドの方を見た。

レフェリーはカウント8まで数えると、「ボックス、ストップ！」と言って試合を止めた。ダウンは一度だったが、耀子にも妥当な判断だと思えた。

「汗もかかんかったわ」

リングから降りて来た鏑矢は笑いながら言った。

「この後、続けて準決勝も決勝もやりたいわ。ほしたら明日も明後日も休めるし」

この子にとってはボクシングは遊びみたいなものなのだと耀子は思った。この子の心に恐怖心が植え付けられるなんてことがあるのだろうか。

鏑矢の次の試合は稲村の試合だった。鏑矢は稲村の試合を見ようともせずに、さっさと後方の畳のスペースに行って着替えを始めた。

耀子は観客席に残って稲村の試合を見た。

ゴングが鳴ると、稲村はゆっくりとコーナーを出て、相手選手とリング中央で向き合った。鏑矢のように風を巻いて襲いかかるという感じではなかった。

稲村が小さな左ジャブを続けて打った。相手の様子を窺《うかが》うようなジャブだった。相手もジャブを打ったが、稲村は右のガードで防いだ。強引には攻めなかった。あくまでゆっくり慎重に相手の出方と力を測っているような感じだった。

獅子はウサギを狩るのにも全力を尽くすという言葉を思い出した。稲村の戦い方はまさにそれだった。こんな風に慎重に戦ったら、万が一にもラッキーパンチをもらうこともないだろう。稲村の本当の強さはもしかしたらこういうところにあるのかもしれないと思った。

一分過ぎ、稲村の右が相手のテンプルを捉えた。体がぐらっとすると同時にレフェリーがダウンを取った。カウントを数えている最中に、相手側のセコンドからタオルが投入された。レフェリーはカウント8まで数えてから、試合を止めた。

鏑矢も強いけど、稲村も本当に強いと思った。鏑矢のような派手な強さはない代わりに、盤石《ばんじゃく》の強さがあった。いつか二人は戦うのかなと思った。身長はあまり変わらないように見えたが、痩せた鏑矢に対して、稲村は厚い胸板に太い腕、盛り上がった肩を持っていた。でも鏑矢はこれからさらに背が伸びるかもしれないし、筋肉が付いて体重も増えていくだろう。すると近いうちに階級を上げて稲村と同じリングに上がることになるかもしれない。

二人が戦えばどんな戦いになるだろうかと想像した。稲村が負ける姿は思い浮かべることが出来なかった。逆に、鏑矢が稲村のパンチで倒れるところが脳裏に浮かんだ。耀子は自分の想像に恐ろしくなって、その光景を頭から追い払った。

廊下に出ると、リングドクターの本田が缶コーヒーを飲んでいた。

「お疲れさまでした」と耀子は言った。

「そちらこそ」

ふと耀子はさっきの会話を思い出した。

「さっき先生がおっしゃっておられた、一度徹底的にやられた相手には恐怖心が植え付けられるという話は本当ですか？」

「パンチを受けて倒れる時はね、脳震盪《のうしんとう》を起こします。本当に一瞬、気が遠くなるんですよ。それは小さな死に似ています」

小さな死——そうかもしれないと思った。もし本当の戦場で戦っている時に、頭を攻撃され気を失えば、それは「死」を意味する。ボクシングの試合ではダウンしてもレフェリーに救われる。8カウントの間は体を休めることが出来る。しかし脳の奥にある闘争本能は、倒された時に本能的な恐怖を感じているのではないだろうか。何度も強烈なパンチを受けて、何度も倒されたなら、その恐怖心が染み付くということは十分に有り得ることだろう。

他のスポーツにはそうした恐怖心はないだろう。もちろん「こいつには敵《かな》わない」という恐れのようなものはあるにしても、命にかかわる恐怖心ではないだろう。耀子は、あらためてボクシングは他のスポーツとはまったく違うものだということを知らされたような気がした。

本田は言った。

「その恐怖心は、ほとんど動物的な感覚ですね。野生動物は一旦染み付いた恐怖心を拭うことは出来ません。だから人間はトラやライオンでも調教出来るのです」

「トラでさえ一度植え付けられた恐怖心は克服出来ないんですね」

「逆に言えば高等生物だからですけどね。ワニや毒蛇に新たな恐怖心を植え付けることは出来ません」

「すると——人間も恐怖心を克服することは無理ですね」

「いや」本田は言った。「人間は恐怖心を克服出来るんです」

「でも、さっき生存本能に基づくって——」

「そこが人間のすごいところです。野性的な本能を意志の力で克服することが出来るのです。そこが同じ高等生物でも人間と動物の決定的に違うところなんです。もっともそういうことがやれるのは、本当に強い精神力を持った男ですけど」

「どうやって克服するんでしょう？」

「さあ、それは個人個人それぞれでしょう」本田は笑った。「自己暗示とか自己催眠によるマインドコントロールのようなアプローチもあるでしょうし、恐怖心を取り除くために肉体を徹底して鍛え抜くというフィジカルなアプローチもあるでしょう。しかし一旦心に取《と》り憑《つ》いた恐怖心を取り除くのは並大抵のことではありません。しかし、人間にはそれをやれる力があるんです」

耀子はうなずきながら、不思議な気持ちがした。

「それでは、また会場に戻ります」

本田はそう言って試合会場に入っていった。

耀子は本田の言葉を心の中で反芻《はんすう》しながらため息をついた。本田の言うことは多分間違いではないのだろう。しかし誰にでも出来ることではないと思った。一旦心に染み付いた恐怖心を取り除くことの出来る男は、精神的にも肉体的にも凄《すさ》まじい境地に達している男に違いない。そうした男は簡単には負けないだろう。つまり最初から恐怖心なんか植え付けられない男なのだ。そしてそういう男は敗北からも立ち直ることの出来るのだろう。

耀子はいつのまにか鏑矢のことを考えているのに気付いた。鏑矢がもし稲村と戦ってノックアウトで負けたとしたら、彼は稲村に対する恐怖心を克服することが出来るのだろうか。

たしかに鏑矢は強い。でもその強さは負けを知らない強さかもしれない。彼の勇敢な戦いぶりも、自分が負けるかもしれないなどとは微塵《みじん》も考えていない自信から来ているものなのかもしれなかった。そういう強さは、敗北を知った時に呆気ないほど脆《もろ》く崩れてしまうのではないのだろうか。

稲村の戦い方はそうではない。稲村のあの慎重な戦い方は負けることの怖さを知っている戦い方のように見えた。負けの怖さを知っているからこそ、絶対に負けないという戦い方をしているのではないか。もしかしたら、稲村は過去に辛い敗北を喫したことがあるのかもしれない。

「ここにいたんですか」

沢木が声をかけてきた。

「試合は全部終わりましたよ。大阪勢は三勝です」

「国体には行けそうですか？」

「まだわかりませんが、おそらく大丈夫でしょう。鏑矢と稲村が優勝したら、国体行きは間違いないですね。うちの学校の選手が国体出場するのは久しぶりですよ」

「校長が喜びますね」

沢木は苦笑した。「それはどうですかね。うちは今、進学校に移行しつつあるところですから」

「ところで沢木先生」と耀子は言った。「稲村君のことなんですけど――」

「はい」

「あの子は今まで負けたことがあるんですか?」

「ないです」沢木は即座に答えた。「無敗ですね」

「一度もないんですか?」

「ありません。彼は一年生でインターハイ、国体、選抜の三つの全国大会に全部優勝しています。もちろん予選でも一度も負けてません。まさにモンスターですね」

「――そうですか」

「それが何か?」

「いや、あの子の戦い方は、負けの怖さを知ってるような感じがして――」

「聞いた話ですが――」沢木は静かに言った。「彼の父親は元プロボクサーということです。でも現役時代のダメージで、ひどいパンチドランカーらしいです」

パンチドランカーという言葉は耀子も知っている。しかし具体的にどのようなものかは知らなかった。

「前にパンチが脳を揺らすという話をしましたね。長年にわたってパンチを受け続けると、脳にダメージが蓄積してパンチドランクという症状をきたすのです。肉を切らせて骨を断つというスタイルのボクサーがなりやすいのです。パンチドランクのひどいのになると、極端に物忘れをするようになるし、簡単な計算さえ出来なくなります。運動機能も損なわれて、手や足が震えたり、まっすぐ歩けなくなったりします。さらにひどいのになると──ろれつが回らなくなるし、寝小便さえするようになります」

耀子は背筋が寒くなった。

「でも、それはプロの場合でしょう」

「そうですね。プロはラウンドも多いし、グローブも小さい。おまけにヘッドギアもないし、スタンディングダウンもあまり取りません。最近はストップも早くなりましたが、それでも倒れるまでやらせるケースは少なくありません。そんなプロ生活を長く続けるとパンチドランカーになるのも仕方がないかもしれません」

耀子はうなずいた。

「アマチュアはグローブも大きいし、ヘッドギアもしていますから、プロに比べてパンチのダメージは大きくありません。しかしだからといってより安全とは決して言えないんです。試合における事故をリング禍《か》と言うのですが、一番重いのは試合で死に至るケースです。これまで多くの死亡事故がありますが、ミドル級以上の重いクラスでの死亡事故はないんです。リング禍が多いのはむしろ軽量級なんです」

「それはどうしてですか。重量級の方がパンチが強いのに?」

「重量級はパンチが重いから、クリーンヒット一発で倒れます。ところが軽量級のパンチは軽いから、少々のクリーンヒットでも倒れないでダメージが蓄積されていくケースがあるからではないかと言われています」

「ヘッドギアと大きなグローブでも安全とは言えないのは、そういうことなんですね」

「ええ、だからこそ、アマチュアはストップを早めるわけです。見ている側からすればストップが早すぎるという面はありますが、アマチュアはプロのような見世物ではないし、まして高校生は体が十分には出来ていません。危険なダメージを受ける前にストップする必要があります。効いたパンチが当たれば倒れなくてもダウンを取るし、1ラウンドに二回のダウンでストップというのもそういうことなのです」

「なるほど」

「話が大分逸《そ》れましたが、もしかしたら稲村はパンチドランカーになった父親のそういう姿を目《ま》の当たりに見てきたからこそ、どんな試合にも油断しないのかもしれません」

　そうかもしれないと思った。あの慎重な戦いぶりはボクシングの怖さを知っているからだ。完璧に相手を打ちのめす冷酷さは、とどめを刺さなければ自分がやられるという恐怖から来ているのかもしれない。鏑矢とはすべてが違うという気がした。

　翌日、同じ塩屋高校で国体近畿予選の準決勝が行われた。

　この日は最多の十五試合が予定されていた。もっとも全試合フルラウンドで戦っても一試合八分だから、三時間もあれば全試合が終了する。ＲＳＣや棄権が入ると二時間以内で終わるだろう。

　耀子はリングの上だけではなく、審判席やジャッジの席にも目を向けた。ふと、判定方式が大阪の大会とは違うことに気が付いた。

「ジャッジがいつもより多いような気がするんですが」

　耀子は沢木監督に尋ねた。

「よう気ぃ付きましたね。大阪大会はジャッジ三人ですが、近畿大会は五人で行います。この前の近畿の高校選手権の時もそうでしたよ」

「気が付きませんでした」

沢木は笑った。

「あのジャッジが持っている箱みたいな機械は何ですか?」

「あれはGマシーンと言《ゆ》うて、左右のボタンが青コーナーと赤コーナーに分かれていて、ジャッジがどちらかの選手がパンチをヒットさせた時にそのボタンを押すと、それがカウントされていく機械です。印象だけよりもずっと正確ですね」

「ヒット数が多い選手が勝ちなんですね」

「そういうことです。五人のジャッジのGマシーンの判定表から一番点数の高いのと一番点数の低いのを除いて、間の三人の点数を合計して三で割ります。その点数の高い選手が勝ちになります」

「ややこしいんですね」

「ほら、あそこに今の試合の点数が出ています」

沢木が審判席横のホワイトボードを指さした。そこには赤コーナー「12・3」、青コーナー「8・6」と書かれていた。そのボードにも初めて気が付いた。

「12・3対8・6で、赤コーナーの選手の判定勝ちです」

「赤コーナーの選手は3ラウンドの間に12・3発のパンチを当てたということなんですね」

「そういうことです」

「ジャッジの人は、あの打ち合いの中でどちらの選手のパンチが当たったのかを瞬時に判断してボタンを押すんですね」

「そういうことです。でも正確にパンチを見るなんて出来ません。ジャッジによってかなりばらつきがありますよ。だから上下の点数をオミットして計算するんです」

「なるほど」

「この機械が導入されたのは十数年前からです。それまではジャッジが1ラウンドごとに優勢な方を20点、劣勢な方を19点とか18点という風に付けていました。これは印象点に近いですね。今でも地方大会はそうです。大阪の予選もそのやり方です」

「はい」

「近畿大会などのブロック大会になるとGマシーンが使われますが、全国大会になると、あのGマシーンにコンピューターが付けられます。五人のジャッジがパンチが当たったと見なした時にボタンを押しますが、一秒以内に三人以上のジャッジがボタンを押した時だけカウントされます」

「それって完璧に近いシステムじゃないんですか。どうしてここでもそれをやらないんですか?」

「そのコンピューターが日本に数台しかないからです。何千万円かするらしいです。だから全国大会の時にしか使われません」

「アマチュアボクシングって、意外にハード面が進んでるんですね」

「Gマシーンが導入されたのは、ソウルオリンピックでロイ・ジョーンズが不当な判定で敗れたことがきっかけと言われています。ロイ・ジョーンズは後にプロの世界で無敵のチャンピオンになった天才ですが、オリンピックでも完璧な戦いぶりでした。決勝でも韓国の選手からダウンを奪って圧倒しましたが、判定は韓国の選手のものになりました。すごい物議を醸《かも》した試合で、それを見ていたアマチュア国際連盟の会長が提案して出来たのがGマシーンと言われてます」

「お陰で完全なシステムが出来たのですね」

「どうですかね。いくらGマシーンが優れていても、それを押すのは人間ですからね」

「そうか」

結局、いかに優れた機械を使っても最終的には人間が判定を下すということには変わりはないのだ。フィギュアスケートや体操競技と同じく、曖昧な判定が入り込む余地は十分にある。

「だとすると、RSCで決まるというのはすっきりしますね」

「それも一概には言えません。アマチュアの場合はきれいにクリーンヒットして、大きなダメージを与えるとダウンしなくてもダウンと見なされてカウントを取りますが、これも結局は主観です。高校生の場合、1ラウンドで二度のダウンを取られると即RSC負けですから、すぐにダウンを取るレフェリーとそうでないレフェリーでは戦い方も違ってきます」

「うーん」

「本当は完全に倒れたらダウンとすればすっきりするんですが、それをやると今度は選手への危険性が増します。この競技は、スポーツとしての面白さと危険性は比例するんですよ」

「沢木監督はボクシングの危険性に関して、かなり慎重ですね」

「私が昔、アマの選手だったことは言いましたか？」

「噂では聞いていています」

「私の左目がほとんど見えないことは？」

耀子は驚いてサングラスの中の沢木の左目を見た。

「網膜剝離です。昔の大学の試合はヘッドギアなんてありませんでしたから、試合のたびに目にもパンチを喰らいました。ある日、シャッターが下りたみたいに突然目が見えなくなりました。手術をしましたが、視力のほとんどを失いました」

「そうだったんですか――」

沢木がガードと防御を口を酸っぱくして言うのは、そのせいだったのかと思った。

「私はね――」沢木はしみじみとした口調で言った。「たとえ勝ちにくいスタイルでも、防御技術をしっかりと持った選手を作りたいのです。ボクシングをやめてからの人生の方がずっと長いのですから」

「はい」

「強くても、肉を切らせて骨を断つようなボクサーだけは育てたくないんです」

耀子はうなずきながら、もしかしたら沢木自身はそんなボクサーだったのではないだろうかという気がした。

「先生、もうすぐ鏑矢の試合が始まります」

丸野がやって来て沢木に言った。

「次の次の試合です」

「わかった、今行く。鏑矢はアップすましてるか?」

「軽く体動かしてます」

沢木はよしという風にうなずくと、鏑矢たちがいるコーナーに向かった。耀子もその後に続いた。

鏑矢の相手は京都の代表だった。この選手も二週間前の近畿高校選手権で戦った相手だった。その時は決勝戦で当たり、鏑矢が1ラウンドにダウンを奪って棄権勝ちしていた。

耀子は相手選手の顔をよく観察した。萎縮している目ではなかった。むしろ闘志が目の光の中に表れているように見えた。この子はこの二週間、復讐心を燃え立たせてきたのだわと耀子は思った。これが本田ドクターの言っていた人間の意志の力なのか。

次に鏑矢に目をやった。こちらは見た目にもはっきりわかるくらいにリラックスしていた。一度グローブを合わせて勝った相手だけに余裕綽々《しゃくしゃく》という感じだった。

「鏑矢くーん!」

マネージャーの丸野が黄色い声を上げた。鏑矢は腰が砕けたような恰好をした。観客席から小さな笑いが漏れた。丸野は笑いを打ち消すようにもう一度大きな声で鏑矢の名前を呼んだ。鏑矢が振り返って、「黙れ！」と怒鳴った。会場に大きな笑いが起こった。

レフェリーは鏑矢に私語を慎むように注意を与えた。

その間、京都代表の選手は、表情をまったく崩さず、じっと鏑矢を見つめていた。

耀子は危険な予感がした。

ゴングが鳴り、鏑矢は跳ねるようにコーナーを出た。相手選手はゆっくりと鏑矢に近付くと、いきなり体を大きく沈めて左で鏑矢のボディを狙った。鏑矢は右手でそのパンチを払った——とその時、相手は上体を折り曲げて顔を下に向けたまま、大きく右パンチを振った。視線を下に向けていた鏑矢はそのパンチを見逃した。顎にパンチをもらい、尻からリングに落ちた。場内に歓声が上がった。

レフェリーはしかしダウンは取らず、ストップをかけて、相手選手に注意を与えた。アマチュアボクシングでは顔を下に向けることも、上体をベルトライン以下に下げることも禁じられている。さらに鏑矢を倒したパンチはグローブの内側で打つインサイドブローだという注意が与えられた。インサイドブローは反則パンチだったから鏑矢のダウンも無効とされた。

試合が再開されたが、鏑矢は動揺していた。まだパンチのダメージから回復していないのか、何度も頭を振った。相手選手が近付くと、バックステップした。

相手は打ち合いを挑んできた。鏑矢も応戦したが、いつものキレがなかった。パンチは空を切り、いくつかのパンチをもらった。明らかに先ほどのパンチのダメージが残っていた。

鏑矢はロープに詰められた。パンチをもらって防戦一方になった。レフェリーがストップをかけ、スタンディングカウントを取った。耀子は鏑矢がダウンを取られるのを初めて見た。

鏑矢は最初カウントを取られた時は呆然《ぼうぜん》とした顔をしていたが、次第に表情が険しくなり、怒りの顔になった。その顔を見て、耀子は元の鏑矢に戻ったと思った。カウント8が休息になり、ダメージから回復することが出来たのだ。

「ボックス！」

レフェリーの声に相手選手は鏑矢に襲いかかった。相手がワンツーを打ってきたのを素早くかわすと、鋭い左を当てた。相手のバランスが崩れた。鏑矢は同じ左でボディを打ち、体を入れ替えるようにコーナーから出た。

相手はまた体を大きく沈めて左でボディを突くふりをしながら、大きな右を振った。しかし鏑矢は今度はスウェーバックでそれをよけた。

レフェリーは試合を止めて、相手選手の低すぎるダッキングに注意を与えた。

「同じパンチをもらうかよ！」鏑矢が言った。

レフェリーは後ろを振り向いて鏑矢にも注意を与えた。

試合が再開された。打ち合っている時、1ラウンド終了のゴングが鳴った。コーナーに戻ってくる時、鏑矢は肩で大きく息をしていた。こんな鏑矢を見るのは初めてだった。

丸野が差し出したビンの水を口に含んで大きな漏斗《ろうと》のようなものに吐き出した。漏斗の下はホースにつながれて、それは大きなポリバケツにつながっていた。

沢木が何やら鏑矢に言っている。鏑矢はわかったという風にうなずいている。青コーナーの応援団席にいる木樽や飯田たちも不安そうな顔をしている。鏑矢の試合で、応援席がこんなに慌てた感じになったのは初めてなのを耀子は気付いた。

鏑矢は応援団の方を振り向くと、にっこり笑って手を振った。

「セコンド・アウト」というリングアナウンスが聞こえた。リングから沢木が降りると同時にゴングが鳴った。

鏑矢は今度はゆっくりとコーナーを出た。慎重になってる、と耀子は思った。

相手選手が近付いた。鏑矢が軽くジャブを打つ。相手は体を沈めてそれをよけた。その頭めがけて鏑矢は右ストレートを打った。右は相手の左耳あたりを捉えた。体がぐらっと揺れた。レフェリーが「ストップ！」と声をかけた。

カウント8まで数えられ、試合が再開された。相手選手の体からエネルギーがみるみる失われていくのを耀子は感じた。失われたのは体力ではなく闘争心だ。相手選手の動きにキレがなくなってしまったのを見て、恐怖心が甦ったのだと思った。

反対に鏑矢は相手を呑んでかかった。動きに躍動感が戻り、踊るようなステップでパンチを繰り出した。

相手はロープを背にしてガードを固めたが、鏑矢は構わずワンツーを打った。ガードのせいで鏑矢のワンツーはクリーンヒットはしなかったが、パンチの衝撃で相手の体が揺れた。鏑矢は右をダブルで打った。相手がガードを高く上げて一瞬空いたボディを、鏑矢の左が襲った。撃たれた相手は体をくの字に曲げた。

レフェリーが二度目のスタンディングカウントを取った。試合は終わった。

「危なかったな」

リングから降りてきた鏑矢に、沢木が声をかけた。

「たいしたことないよ。パンチは効いてなかったし」

鏑矢は笑いながら答えた。「バックステップしようとしたところにもらったから、はずみで倒れたんや。全然効いてない」

耀子は何という強気な男だと思った。耀子の目にもあの時の鏑矢は明らかに効いていた。それに顔には狼狽《ろうばい》の色が浮かんでいた。

「たしかにあんな風に頭を下げてダッキングするのは反則やからな。お前が油断するのもしゃあないな」

「ホンマやで。前のめりにしゃがんできたから、俺、一瞬相手がこけよったんかなと思たくらいや。ほんならあんなとこからパンチ打ってきやがって——あんなんずっこいで！　レフェリーも一発で減点取れよな」

「たしかに少し休息の時間は欲しかったな」

「そんなん、ええけど」

鏑矢はまた強気なことを言った。「喉渇いたからジュース飲んでくるわ」

そう言って自動販売機の方に駆けて行った。耀子はその後ろ姿を見ながら、この子は仮にノックアウト負けを喰らってても、けろりとしてるかもしれないと思った。倒れたのは運が悪かったと思って、恐怖心なんか全然抱かないかもしれない。

翌日の決勝戦、鏑矢は和歌山代表の選手と戦い、1ラウンドに二度のスタンディングカウントを取ってRSC勝ちした。

結局、大阪勢は三人が優勝して総合点一位で国体出場を決めた。二位は奈良、三位は京都で、この三つの府県が国体出場権を獲得した。つまりこの三府県の選手は今回の近畿予選で優勝しなくても出場出来るというわけだ。不運だったのは兵庫のバンタム級の選手で、個人戦では優勝しながら、同県のメンバーの成績が振るわなかったため、国体には出場出来なかった。毎年、国体の予選ではこういうことは起こるらしい。地区ブロックでナンバー1の実力がありながら、弱小県のために国体の全国大会に出場出来ない選手が出てしまうのだ。だから国体の全国大会の個人優勝選手が必ずしも全国一位ということにはならない。

そのことを耀子が指摘すると、沢木はうなずきながら、不愉快そうに言った。

「まあ不合理なシステムですが、運営側は選手のことなんか考えてないんですよ」

表彰式が終わって閉会した後、耀子たちが会場から出た時、派手なアロハを着た一人の老人が鏑矢に声をかけた。

「よう」

鏑矢はその老人を見た途端、背筋を伸ばして「はいっ」と返事した。

「来てくれてたんですか」

「ジムの奴が教えてくれてな。昨日も来てたんやで。お前の試合、初めて見たわ」

「はい」

鏑矢は直立不動のまま返事した。耀子は驚いた。鏑矢がこんな態度を取るのを見るのは初めてだ。それに——敬語を使っている！

「どうやってん？」

「優勝しました」鏑矢は答えた。

「わかっとるわ」老人は不機嫌な感じで言った。「聞いとんのは試合内容や。自分でどう思たんや？」

「よかったと思います」

老人は鼻で笑った。

「お前も錆《さ》びたな」

それだけ言うと、背に向けて歩いて行った。鏑矢は直立したまま老人を見送っていた。

「あの人は誰なん？」耀子は鏑矢に訊いた。

「曾我部《そがべ》さん——俺の師匠です」

その名前には聞き覚えがあった。鏑矢が殴り込みに行ったジムのトレーナーが言っていた名前だ。

「プロの人？」

「はい」

「よほど、怖いのね」

「怖いというか——曾我部さんには頭が上がらないんです。ボクシングのイロハを教えてもらったから」

鏑矢が自分に対しても丁寧語で話していることに気付いておかしかった。おそらく本人も意識していないのだろう。

「あなたでも怖い人がいるんや」

鏑矢は苦笑した。

会場を出ると、曾我部の姿を捜した。廊下の反対側の自動販売機の前でアイスコーヒーを買っているところだった。「曾我部さん」と声をかけた。

老人は耀子を見て軽く会釈した。「どちらさんでしたか？」

「鏑矢のクラブの顧問です。高津と申します」

曾我部は黙ってうなずいた。痩せた老人だった。年齢は七十歳くらいに見えた。

「曾我部さんは鏑矢の師匠だったそうですね。鏑矢はどんな選手だったんですか」

「あんたが見た通りの選手や」

「あの——私はボクシングは全然わからないんです。単に名目上のクラブの顧問ですから」

曾我部は、なるほどと言った。それからぼそっと呟《つぶや》くように言った。

「あいつは器用な奴やった。何やらしても一発で覚えよった」

「そうなんですか」

「プロになったらええのに、アマでちんたらやってからに——。それも玉高に行くんやったらまだわかるけど、恵美須やと——。あ、悪いな。あんたの高校をバカにしたわけやないんやが」

「いいんです。それより、さっき鏑矢のことを錆びたっておっしゃってましたね」

老人の目がぎょろりと耀子を睨《にら》んだ。耀子は慌てて言った。

「いいえ、怒ってるんではありません。私はボクシングが全然わからないんで訊いてるんです」

曾我部はコーヒー缶のプルトップを引いた。

「高校に入ってあいつの試合を初めて見たけど、いや、呆《あき》れたわ。ひどいもんになってた」

「弱くなってるんですか」

「どこもかしこも錆び付いてもうとる」

曾我部はコーヒーを飲んだ。「昨日も今日もほんまにがっかりしたで」

「でも、国体の近畿ブロック優勝ですよ。それにインターハイでも近畿ナンバー1になってます」

「あんな程度で優勝出来るんやから、楽なもんやな」

「高校のボクシングはレベルが低いっておっしゃってるんですか」

「ああ、ええ選手なんか全然おらんかったな」

そう言った後で、すぐに訂正した。「一人を除いて」

「それは誰ですか?」

「ライトの選手や。あれは本物や」

「稲村君ですか?」

「名前なんか覚えてないが、あの選手は凄みがあったな」

耀子はさすがと思った。稲村の強さを一目で見抜いた曾我部も凄いと思ったが、そんな曾我部に認められた稲村もやはり本物なのだと思った。

「カルロス・オルチスみたいな奴やったな」

「誰ですか、それは？」

曾我部は不愉快そうな目をして耀子を見た。耀子は何か間の抜けた質問をしてしまったかと焦った。

「ライト級の名チャンピオンや。恐ろしいほど強くて上手い」

「現役チャンピオンなんですね？」

曾我部は面倒くさそうに、「六〇年代の選手や」と言った。耀子は呆れた――四十年以上も前の選手ではないか。

曾我部が立ち去ろうとするのを見て、耀子は慌てて訊いた。

「鏑矢と稲村君が対決したら、どっちが勝つでしょう？」

曾我部は、うん？という顔で耀子を見た。それからおかしそうに笑った。

「面白い試合にはなるやろうが、勝敗は見えてるな」

どちらが勝つんですかと聞こうかどうか迷っているうちに、曾我部は背を向けて行ってしまった。

第12章　ケンカ

夏休み前の最後の日、終業式で校長の挨拶に続いて、鏑矢が朝礼台に呼ばれた。八月初めインターハイに出場する彼のための簡単な壮行会だった。

鏑矢が朝礼台に上った途端、拍手が起こった。以前の朝礼で行ったユニークな演説を生徒たちは覚えていたのだ。優紀も力一杯拍手した。鏑矢は拍手に応えながら両手を大きく振った。

「鏑矢君は八月にインターハイに出場した後、九月には国体にも出場します」

校長が言い終わる前に、優紀のすぐ近くから「鏑矢くーん！」という黄色い声援が飛んだ。全校生徒は声の方に注目した。

「素敵よー、鏑矢くーん」

丸野だった。彼女の隣に立っていた女生徒たちがやめさせようと手を引っ張っている。しかし丸野は気にすることもなく、もう一度「鏑矢くーん！」と叫んだ。

壇上から、鏑矢が「うるさい、ブス！」と怒鳴った。全校生徒が一斉に笑った。

「静かに！」

校長がマイクで大きな声で言った。「ふざけないように！」

校長は丸野と鏑矢の双方に注意を与えた。鏑矢がふてくされたように何か言ったようだったが、その声はマイクには入らなかった。

優紀は丸野の態度に驚いた。丸野はこれまでも鏑矢には何度も大きな声援を送っていたが、あくまで試合会場でのことだ。全校生徒の前で大声で名前を呼ぶなんて普通じゃない。

しかし一方で丸野の態度にある種のすがすがしさを感じていた。好きな人の名前をこんな風に堂々と言える丸野が眩《まぶ》しくも見えた。自分にはとても出来ない。

朝礼が終わって教室に戻り、担任教師による夏休みの注意の後、大掃除となった。

先生が教室から出ていった後、藤森という男子生徒が丸野に向かって言った。

「お前、どうかしてんのとちゃうか」

周囲にいた何人かの男子生徒が笑った。

「色ボケしとんのやろう」

「勉強ばっかりしすぎて、欲求不満になったんか?」

藤森以外の男たちもからかいの言葉を投げつけた。しかし丸野は平然とした顔で掃除の準備をしていた。藤森たちの言葉に怒ったのは周囲にいた女生徒たちだった。

「丸野さんが何言《ゆ》うてもええやんか」丸野の友人の竹田恭子が言った。「誰が誰を好きになってもええやない？　あんたら、よっぽどヒマなんか」

竹田恭子に正論を言われて、藤森らはちょっとひるんだ。

「鏑矢って、体育科の劣等生やろう。あいつは相当なアホやいう話やで」

鏑矢の名前が出て、丸野が振り返った。

「鏑矢君はあんたらよりもずっと賢いよ」丸野が言った。

「ボクシングなんかやってる奴に賢い奴はおらんやろ」

「あんなもん、アホがするスポーツやんけ。ほんで殴られてまたアホになるんや」

そう言って藤森らは笑った。

「木樽君もボクシング部やけど、あんたたちよりもずっと勉強が出来るよ」

突然、丸野に自分の名前を出されて戸惑った。

藤森も一瞬黙った。優紀は七月の期末試験では丸野に次いで二位だったが、藤森は七位だった。彼も勉強は出来る方だったが一度も三位以内に入ったことがない。

「こんな奴がボクシングなんかやっても、強なるわけないやないか」

藤森は優紀を指さして大きな声で言った。

「何言うてんの。部活もせんと勉強ばっかりしても、木樽君に勝たれへんくせに」

藤森の顔が歪《ゆが》んだ。彼は中学時代ずっと柔道をやっていて、大阪府のベスト16に入ったこともあった。高校に入学してからも柔道部の顧問に「柔道をやめてしまうのはもったいない」と言われていたがそれを拒否して勉強一筋に懸《か》けていた男だった。

「おい、木樽。お前、ボクシングなんかして、強なったつもりか」

藤森は優紀のそばにやって来た。

「俺は関係ないやろう。ほっといてくれよ」

「何っ！」

藤森は座っている優紀の前に威圧するように立った。優紀よりもはるかに大きい体だった。

「丸野のこともほっとけよ。お前には関係ないやろう」

「お前、偉そうに言うやないか」

藤森はいきなり優紀の胸元を摑《つか》んで引き上げた。優紀の腰が椅子から浮き上がった。

「離せよ」

優紀は静かに言ったが、心臓がばくばくしていた。入学して以来このクラスでケンカ騒ぎが起きたことは一度もない。まさか自分が巻き込まれるとは思ってもいない事態だった。

教室の中も騒然としている。藤森の仲間たちは面白がって、藤森をけしかけるようなことを言った。

「やめなさいよ、藤森君。木樽君は関係ないでしょう」

丸野が言った。しかし藤森は手を離さなかった。

「先生呼ぶよ」

藤森はちらっと丸野を見ると、ふんと言って、優紀の体を突き飛ばした。優紀は後ろの机ごと床に倒れた。

胸の中は怒りと恥ずかしさで一杯になったが、藤森に向かって行く勇気は出なかった。立ち上がろうとした時、小池美香と目が合った。彼女の目に同情の色が浮かぶのを見た瞬間、数ヵ月前の事件と屈辱を思い出した。

「馬鹿野郎っ！」優紀は我知らず大声で怒鳴っていた。

藤森は振り返った。「何やと——文句あんのか」優紀はその顔面に左ジャブを打った。まともに鼻に命中した。

「あるわ！　ボケ」

藤森は口元を歪めながら優紀に近付いた。

藤森は驚いて後ろに下がった。それから両手で鼻を押さえた。指の間から、鼻血が流れて床にぼたぼたと垂れた。女子生徒たちから悲鳴が上がった。

藤森は怒声を上げながら突っ込んで来た。優紀はそこにもう一度左ジャブを打ち、続けて右ストレートを打った。二発とも顔面に突き刺さり、藤森は仰向けに引っくり返った。そしてそのまま大の字になった。教室中が静まり返った。

優紀は震えていた。生まれて初めてケンカで人を殴ったことに激しい衝撃を受けていたのだ。同時にその結果にも驚いていた。

クラスの誰も一言も発しなかった。さっきまで藤森と一緒に丸野をからかっていた連中も、黙ったまま動かなかった。優紀が彼らを見ると、全員俯《うつむ》いて目を逸らした。

やがて藤森がゆっくりと立ち上がった。優紀は再び拳を上げて身構えたが、その必要はなかった。藤森は泣きながら、背中を丸めて教室を出て行った。藤森の友人たちが後を追った。

「木樽君、すごい……」丸野が言った。

教室にいた全員が自分を見ているのが優紀にもわかった。ちらっと小池を見た。彼女は信じられないものを見たように口を開けていた。

優紀は急に恥ずかしくなって、鞄を持って教室を出た。男子生徒たちのそばを通った時、彼らは慌てたように優紀から離れた。

校舎を出て中庭で一人になった時、ようやく興奮が冷めてきた。それから先ほどの出来事を冷静に振り返った。両拳を見つめると、藤森を倒したワンツーが脳裏に甦ってきた。

それにしても何という威力だ！——これがこの数ヵ月の成果なのか。拳の先にはまだ痺《しび》れるような手応えが残っている。

初めて喜びが湧いてきた。

そのまま練習場に向かったが、誰も来ていなかった。そう言えば、終業式の後、大掃除があるということを思い出した。今更教室に戻る気はしなかった。ケンカのことで騒ぎになっているかもしれないと一瞬思ったが、どうでもよかった。

服を着替えて、シャドーボクシングを始めた。いつもはぼんやりと相手を思い浮かべるだけだったが、なぜか目の前に実際の相手がいるように感じた。その実体のない相手に向かって左ジャブを出す。ジャブは顔面にびしびし決まる。右ストレートを出すと、相手は引っくり返った。

自分のジャブが速くなっているように思った。パンチを出すと拳の風を切る音が聞こえる。右はさらに音が大きい。

軽いステップを踏んだ。心地よいリズムが全身を刺激する。

突進してくる相手を軽《かろ》やかにかわす。首を振ってパンチをよける。ジャブでカウンターを取る。相手のボディが空いたところに、左を突く。

速い連打をくり出す。ワンツー、ワンツー、ワンツー。早くも汗が飛び散る。

「気合い入ってるな」

突然、後ろから声をかけられて、思わず動きを止めた。沢木監督だった。

優紀は一礼して、またシャドーボクシングを続けた。沢木監督はそれ以上何も言わなかった。

数分間シャドーボクシングを繰り返した後、少し休憩した。沢木監督が近くにやって来た。

「何かあったんか?」

どきりとした。ケンカのことが伝わったのかと思ったのだ。ボクシング部員のケンカは厳禁だった。他校生とのケンカは即退部、校内でのケンカは謹慎処分だった。優紀は藤森を殴った時から覚悟していた。

「お前の左がえらい速《はや》なってる。それに右も鋭《するど》なってる。急にすごい進歩してる」

ケンカのことではなかったのだ。安堵《あんど》したが、同時に監督の言葉に驚いた。

「ステップもいつもより軽い」

「そうですか」

沢木監督は首を捻《ひね》った。そしてにやっと笑った。

「これやから高校生は面白い。ある日、突然化ける」

優紀は自分のパンチが速くなったと思ったのは錯覚ではなかったのだと思った。やっぱり今日の自分は何かが違う。

息が整ってくると、再び立ち上がってシャドーボクシングを始めた。

しばらくして部員たちがやって来た。

鏑矢も遅れてやって来たが、ちょっと不機嫌だった。終業式での丸野の発言に怒っていたのだ。

丸野がやって来ると、鏑矢はいきなり「帰れ!」と怒鳴った。

「なんで?」丸野はにこにこして言った。

「なんでって——。俺に恥かかせやがって。恋人でもないのに、名前なんか呼ぶな」

「名前くらい呼んだってええやん」

「あかん」

「なんで？　名前呼ばれへんかったら、話も出来へんやん」

「あほか。普段はええねん。あんなとこで大きな声で、鏑矢くーん、はないやろ」

丸野はにこにこして鏑矢を見ていた。鏑矢は呆《あき》れた顔をした。

「もうええわ。こんな天然相手に本気で怒ってもしゃあない」

「さすがの鏑矢君も、丸野さんには勝たれへんね」

高津先生が言った。

「勝つも勝てへんもないわ」と鏑矢が言った。

「丸野さんは鏑矢君が好きなのね」

「はい」

鏑矢が、参ったという風に両手を上げて向こうへ行った。

「丸野さんて素敵ね。好きな人に好きと堂々と言えるのはすごく勇気の要《い》ることよ」

「私、勇気なんかないです」

高津先生は微笑んだ。「鏑矢君とは一度くらいデートしたの？」

「いいえ」

「誘ったりしたの？」

「何回誘っても全部断られています」

優紀は驚いた。実際に丸野は何度も鏑矢をデートに誘っていたのだ。それ以上に驚いたのが、丸野がそうした話を笑顔で語ることだった。鏑矢の言うように、本当にちょっと頭がおかしいのかもと思った。しかし彼女は七月に行われた期末試験で主要五科目のうち四科目で満点を取るという驚異的な成績だった。優紀は二位だったが、満点は一教科もなかった。

「丸野さんは恥ずかしくないの」と優紀は訊いた。

「何が？」

「何がって――みんなの前で鏑矢を好きって言うこと」

「全然！　だって、私、鏑矢君のこと好きなんやもん」

優紀はあまりに悪びれずに言う丸野の顔を見て、それは恋の感情ではなくて、むしろアイドルに憧れる感覚じゃないだろうかと思った。人気アイドルに対してなら、大人しい女の子も大きな声で名前を叫ぶことが出来る。

「丸野さんは鏑矢君のどこが好きなの？」

高津先生が訊いた。にこにこ笑っていた丸野が少し真面目な顔になった。

「うーん、どこが好きなんだろう」

その真剣な表情は優紀には意外だった。どんな答えにしろ即答すると思っていたからだ。

「鏑矢君を見てると、私、生命《いのち》を感じるんです」

「生命？」

「ちょっとオーバーですね」

丸野は珍しく恥ずかしそうな顔をした。「何かこう躍動感というか、生きてることの素晴らしさみたいなものを感じるんです」

高津先生はうなずいた。

「私、前に両親に競馬場に連れて行ってもらったことがあって、その時、走る馬を見て、命の息吹みたいなものを感じたんです。鏑矢君の試合見てると、何かそんな感じがするんです」

「俺は馬かよ！」リングの上から鏑矢が怒鳴った。

丸野が笑顔で手を振った。鏑矢はぷいと顔を背《そむ》けた。

「そろそろ、練習を始めるぞ！」

新キャプテンになった二年生の飯田が皆に声をかけた。全員が集まって柔軟運動を始めた。それが終わると、丸野が時計のボタンを押した。ブザーが鳴った。

練習はいつものようにシャドーボクシングから始まった。

鏑矢は珍しく手を抜かずに練習をやっていた。さすがにインターハイの全国大会を十日後に控えて気合いが入っていたのだろう。

普段は滅多に叩かないサンドバッグも力を込めて打っていた。優紀は鏑矢が本気でサンドバッグを打つのを初めて見た。

凄いパンチだった。他の部員とは全然音が違う。グローブが当たるたびに、サンドバッグが痙攣《けいれん》を起こすように震えた。厚いサンドバッグの革ですら突き破るのではないかと思うほどだ。こんなパンチが当たれば象だって倒れそうだ。それにこんな速いパンチを連続的に打たれたら、よけきれる奴はいない。カブちゃんの強さはまぎれもなく本物だ。

それにしても何というしなやかな動きなのだろう。サンドバッグの前で左右にステップを踏む動作はまるでダンサーのようだ。動きを見ているだけで音楽が聴こえてくる気がする。しかし優雅なだけではない。全身がゴムのように柔らかくしなったかと思うと、次の瞬間には鋼《はがね》となっている。

頭を振ると髪の毛がライオンのたてがみみたいに逆立ち、そこから汗が飛び出すのが見えた。丸野が言っていた「生命を感じるんです」という言葉を思い出した。

ふと見ると、高津先生が鏑矢のバッグ打ちを見つめていた。優紀は高津先生の真剣な眼差しを見た瞬間、彼女が自分と同じ思いで鏑矢を見つめているのが直感的にわかった。嬉しさと同時に嫉妬の炎が燃えた。

優紀はそれを振り切るようにシャドーボクシングをした。

7ラウンドが過ぎたところで、突然、鏑矢が練習をやめた。「あー、しんど」と言って床に座り込んだ。

「飛ばしすぎた」

肩で息をして、口をぱくぱくさせていた。それを見て沢木監督が怒鳴った。

「鏑矢、そんなんでインターハイ戦えるのか？」

「試合するスタミナは十分です。もう七試合分戦いました」

「7ラウンドやから、まだ二試合分や」

「全部1ラウンドでKOやから、七試合分です」

「アホか」沢木は呆れたように言った。「とにかくあと5ラウンドはやっとけ。流してもええから、それくらいは動いとけ」

鏑矢は、はーいと言いながら立ち上がり、シャドーボクシングを始めた。その動きはさっきとは比べものにならないくらい緩慢なものだった。沢木はそれを見てため息をついた。高津先生も興味を失ったみたいで、机の上で何か作業を始めた。

「監督」優紀は沢木に声をかけた。

「何や」

「マスしたいんですが」

沢木はうなずいた。

「マスなんか、好きな時にかいたらええんや」

鏑矢がシャドーボクシングをしながら茶々を入れた。「ただしここではかくなよ」

飯田たちは笑った。高津先生もくすっとするのを見た優紀はうろたえた。

「おい、ユウちゃん、顔赤《あこ》ぉすんなや。マスかいてんのバレたぞ」

「カブはやってないんか?」野口が言った。

「毎日かいてるわ」

皆がどっと笑った。

「しょうもないことばっかり言うな！」

沢木は怒鳴った。鏑矢は、はーいと言って沢木に背を向けてステップを踏んだ。

沢木は野口に向かって、「次のラウンド、木樽とマス出来るか?」と聞いた。

「はい」

「よし、2ラウンドや」

優紀はヘッドギアとマウスピースをつけてリングに上がった。

ラウンド開始のブザーが鳴った。優紀は野口に近付くと、ジャブを放った。ジャブは野口の顎を軽く捉えた。野口は少し驚いたようだった。

野口がジャブを打ってきた。優紀はそれを外すと、ジャブをカウンターで打った。またも野口の顎を捉えた。

優紀は自分でも驚いていた。今まで野口とのマスでは、ジャブは滅多に当たらなかったのだ。

野口はジャブからワンツーを打ってきた。優紀は軽くよけるとまたジャブを当てた。「ほお」という沢木監督の声が聞こえた。

野口は踏み込んでジャブを打ったが、優紀はそれをよけると同時に軽いジャブを当てた。野口は首を捻った。

「野口」と監督が言った。「ジャブだけスパーのつもりで打ってみろ」

野口はマウスピースをしたまま「はい」と答えた。

「木樽もジャブを本気で打て」

野口はいきなり速いジャブを打ってきた。寸止めや当てるだけのジャブではなく、本気で当てに来たジャブだ。しかし優紀はそれをひょいと外すと、ジャブを返した。ジャブはまともにカウンターになり、野口の顎が上を向いた。

野口は一旦フットワークを使い、優紀から離れたが、すぐに踏み込んでジャブを打ってきた。優紀はそれを外すと、またもジャブをカウンターで当てた。そしてバランスを崩した野口にジャブを連続して打ち込んだ。

野口はいきなり右を打ってきた。優紀は驚いたが、それをバックステップしてかわすと、またジャブを当てた。

野口が凄い形相でワンツーを打ってきた。野口はジャブだけということを完全に忘れていた。優紀はガードを上げてパンチをブロックした。

「よし、ストップや！」

監督が言った。優紀は両手を下げたが、野口は沢木監督の方を振り返って言った。

「もうちょっとやらせてください！」

しかし沢木は手を振った。

「いや、俺が悪かった。マスやのに、途中でスパーをやれ言うて」

野口は血相を変えて言った。「俺、このままでは終わられへんし」

「今日のところは、一応終われ。また今度、やらしたる」

野口は不服そうな顔をしながらも、グローブを外した。

リングを降りた優紀に、鏑矢が声をかけた。

「ユウちゃん、えらい鋭いジャブ打つようになってるやんか」

「そうか」

「うん。昨日までと全然違う。俺でもやられそうや」

「まさか」

「ほんまやで」

その時、リングを降りてきた野口と目が合った。

「ありがとうございました」

緊張しながら挨拶したが、それは要《い》らぬ心配だった。リングの上では気色《けしき》ばんでいた野口は、もう笑顔を浮かべていた。

「ええ左やった。まともにカウンターをもらったわ」

「野口さんが踏み込んで打ってきたから、たまたま当たりました」

野口は苦笑いして、優紀の肩をポンと叩いた。

優紀は再びシャドーボクシングを始めた。さっきのマスボクシングをシャドーで再現するように動いた。

——野口さんの動きは全部見えた。左ジャブも右ストレートも全部見えた。そして自分のパンチは出す瞬間から当たる軌跡が見えた。まるで線を引いたみたいにはっきり見えた。

もしかして、ぼくは強くなったのか、と思った。いや、そうだ。監督も速くなったと言っていた。そして鏑矢も同じことを言った。ぼくは強くなった——。

優紀は虚空に向かって左ジャブから右ストレートを打った。


「ユウちゃん、ケンカしたんやて」

練習が終わって、服を着替えて休んでいると、鏑矢が聞いてきた。もう沢木監督も高津先生もいなかったが、鏑矢は用心して小声で訊いてきた。

「相手はごつい奴やったんやろ」

「誰に聞いたん？」

「丸野が教えてくれた。きれいなワンツーやったらしいな。ぶっ倒したんやろ」

「ちょうどカウンターになったんや」

「ベアナックルやから効くわな」

優紀はうなずいた。

「せやけど、素手で殴る時は気ぃつけなあかんで。下手したら指折るから」

「そうなんか」

「うん、絶対に頭は殴ったらあかん。デコなんかに当たったら一発や。テンプル殴っても指いわすから。素手のケンカの時は、顔と顎だけを狙うんや」

優紀は、鏑矢は何度も素手のケンカを経験しているのだと思った。そういえば小学校時から鏑矢はしょっちゅうケンカしていた。

「でも、今日はほんまにびっくりしたわ」と優紀は言った。

「何を？」

「ボクシングって――ほんまに強いんや、いうことに」

「そやな。パンチは飛び道具やからな」

これは前にも鏑矢が言っていたことだったが、今日はそれを実感した。

「パンチとキックはどっちが強いん？」

「威力は蹴りやろうけどな――」鏑矢は珍しく少し考えるように言った。「俺はボクシングやる前は空手やってたんやけど、フルコンタクトでやり合う時は、蹴りなんかローキック以外ほとんど当たらへん。足より手の方がずっと速い。多分、空手の黒帯かてケンカになったら、蹴りより突きを使うと思うで」

「今日俺がケンカした男な、藤森ていうんやけど、中学時代柔道で鳴らした男やったらしい」

「よかったな、組まれる前にパンチ当たって。組まれたら、締め落とされてたで」

鏑矢は笑ったが、優紀は笑えなかった。もし、そうなってたらという恐怖が胸をよぎったのだ。同級生たちの前で、泡を吹いて失神させられていたのは自分かもしれなかったのだ。あるいは苦しさのあまり情けない言葉を発していたかもしれない——。

「カブちゃんやったら、組まれたら、どうするんや?」

「組まれへんよ。その前にパンチで倒す」

「万が一、油断して組まれたら?」

「そん時はキンタマでも握るか、目ん玉に指突っ込んだる。いやでも手ぇ離しよる」

鏑矢は身振りを交えながら、そう言って笑った。

「もし、今度そいつにリターンマッチ挑まれて、組まれた時はそうしたれ。ほんで離れたら、パンチ出したらええんやから」

にこにこしながらそう言う鏑矢の顔を見て、優紀は、こいつはボクシングだけやない、ケンカのプロなんだと思った。

第13章　インターハイ

夏休みに入ってから、優紀は練習をさらにパワーアップさせていた。朝は淀川の河川敷で10キロのロードワークと10ラウンドのシャドーボクシング、昼からは高校で練習、帰宅してからも腹筋と腕立て伏せとスクワットを繰り返した。また電車に乗っている時もテレビを見ている時もハンドグリップで握力を鍛えるのを忘れなかった。

体力は確実にアップしていた。ボクシング部に入った当初は二十回も出来なかった腹筋は軽く百回は出来るようになっていたし、五回しか出来なかった腕立て伏せも五十回以上出来るようになっていた。一番大きな変化は体重だ。入部した時は49キロだったのが、今では55キロになっていた。練習を開始して最初の三週間で2キロ痩せたから、最大で8キロ増えたことになる。増えた分はほとんど筋肉だ。風呂に入る時、鏡の前で裸になると、自分でも見惚れるほどだった。両肩から胸にかけて筋肉が付き、腹筋はいくつにも割れていた。いつも様々な角度で自分の体を鏡に映して眺めた。自分にこんなナルシシズムの面があるとは意外だったが、やめられなかった。肉体の美しさを楽しむというよりも努力の跡を見る快感だった。

練習場でも優紀の練習量は一番だった。ロープ跳びとサンドバッグ打ちも誰よりもやった。

野口先輩とも何度もマスボクシングをやった。野口はマスというのにスパーみたいに踏み込んでパンチを打ってきた。しかしそのパンチはみんな見えた。逆に軽いジャブをカウンターで何度も当てた。そんな時はラウンドの途中にもかかわらず、野口が泣きそうな表情になるのが見えた。

自分が強くなっているのがわかった。もう野口さんには負けない。

実際、優紀の急速な進歩は皆が認めるようになっていた。

「木樽、めちゃくちゃ強なってるんとちゃうか」

久しぶりに練習場に顔を出した前キャプテンの南野が言った。

「かなりいいですよ」

新キャプテンの飯田が言った。

「ほんまです。俺より強い感じです」

野口が言った。その言葉を聞いて優紀は嬉しかった。

「カブ、どう思う?」飯田が鏑矢に訊いた。

リングの上で軽くシャドーボクシングをしていた鏑矢は、「ユウちゃんに才能があんのは俺にはとうにわかってたで。せやからボクシング部に入《い》れたんや」と言った。

「もしかしたら、俺よりも強いんとちゃうか」

そう言うと、鏑矢は打たれた恰好をして、頭をぐらぐらさせた。そしてとどめのパンチを打ち込まれたふりをしてリングに倒れた。皆が笑った。

「カブちゃん、マスの相手してくれへんか」

優紀の声に鏑矢が首だけ起こして言った。「マスは一人でかくもんや」

何人かが笑った。優紀はその冗談には取り合わずに言った。

「監督、鏑矢とマスボクシングしてもいいですか」

沢木監督はちょっと迷ったが、「ええやろう」と言った。

「ただし、マスやからな。スパーみたいに力入れて打つなよ」

それは優紀に向けて言った言葉だった。

「カブ、次の2ラウンド、木樽とマスボクシングやれ」

鏑矢は起き上がると、はーいと気の抜けた返事をした。

優紀はマウスピースをはめる時、体が震えるのを感じた。鏑矢とマスボクシングをするのは初めてだった。これまで沢木監督は一度も鏑矢とのマスボクシングを許さなかった。それを許されたということは、それだけの力を持ったことが認められたということだと思った。

マスボクシングとはいえ、生まれて初めて鏑矢とグローブを合わせるのだ。同じリングに上がれるというだけで全身に喜びを感じた。高津先生がこちらを見ているのがわかった。その瞬間全身に闘争心が湧いてきた。

ブザーが鳴った。

優紀は鏑矢に近付くと、ジャブを打った。それはマスボクシングのジャブではなく、本気のジャブだった。鏑矢には寸止めのパンチなんか当たらないことはわかっていたから、本気で打つつもりだった。しかし鏑矢はひょいと首を振ってかわした。さすがだと思った。当たるとは思っていなかったが、本気で打ったジャブがこうも簡単によけられるとも思っていなかった。

優紀は続けてジャブをさらに勢いよく打った。一瞬、鏑矢の目の色が変わるのがわかった。しかしすぐに笑みを浮かべると、素早いジャブを打ってきた。よけたつもりが鼻の頭に軽く喰らった。鏑矢は最初から軽く当てるつもりだったようだ。続けて二発ジャブをもらった。

——速い！

優紀は内心で唸《うな》った。カブちゃんはこんなに速いジャブを持っていたのか。カブちゃんの相手は、こんなジャブを受けていたのか——。

優紀はジャブを続けてからワンツーを打った。いずれもマスボクシングの軽い形だけのパンチではない、踏み込んだ本気のパンチだった。鏑矢は軽いサイドステップで優紀のパンチをかわしきった。さっきまでのちんたらしたシャドーボクシングの動きではなかった。

自分がマスではなくスパーをやっていることは鏑矢はもうわかっているだろうと思った。多分、沢木監督もわかっているだろう。しかし監督は何も言わなかった。

優紀は沢木監督が、鏑矢は打ちにいく時に隙が出ると言っていたことを思い出した。優紀は鏑矢のパンチを待ってみることにした。

鏑矢は優紀が打ってこないのでちょっと変な顔をしたが、自分からジャブを打ってきた。優紀はガードしながら後ろに下がった。鏑矢は前に詰めながら、軽く右を打ってきた。今だ！　優紀は相打ちを狙って左を突いた。しかし鏑矢はそれを外して、逆に右を軽く当てた。優紀は打たれながら、鏑矢の上手さに舌を巻いた。

――何て動きだ。隙なんて全然ない。

これまで飯田や野口や井手と何度もマスボクシングをしてきたが、彼らとは全く次元が違うボクシングというのを感じていた。鏑矢にパンチを当てるなんて不可能だと思えた。まるで目の前を飛び回る蠅を摑《つか》むようなものだ。

リングサイドにいた飯田が「ハーフタイム」と声を出した。

――えっ、やっと一分？　もう二分近くはやったような気がする。

優紀はすっかり疲労していた。普段のマスボクシングの数倍は疲れている。スタミナには自信があったのに、なぜこんなに疲れるのかわからなかった。緊張感のせいだろうか。

ラスト三十秒で優紀は足が止まってしまった。鏑矢が左右に体を振りながら軽いジャブを打ってくる。前方をガードすると、斜め横からジャブを突かれる。横をガードすると正面から打たれた。いずれも軽いパンチで、効くパンチではない。当てる瞬間に鏑矢が力を抜いているのがわかった。鏑矢にそんな気がないのはわかっていたが、弄《もてあそ》ばれている感じがした。この光景を高津先生が見ているのだろうかという思いが頭をよぎった。

優紀は何とか一発だけでも当てたいと思った。強いパンチでなくてもいい。触れるだけでもいい。鏑矢の顔にパンチを当てたい。

自分の顔が左右に軽く揺れるのがわかる。鏑矢の軽いパンチで揺らされているのだ。優紀は下からアッパーを突き上げた。鏑矢は上体を後ろに反らせてよけた。

「そんなパンチどこで覚えたんや」

鏑矢が笑いながら言った。

「リングの上で喋るな!」沢木監督が怒鳴った。

鏑矢は沢木の方を見て、わかったという風に左手を上げた。優紀はその瞬間、右を打ち込んだ。鏑矢はしゃがむようによけると、下から軽く右アッパーを打った。優紀は自分の顎が跳ね上がるのがわかった。その時、ブザーが鳴った。

コーナーに戻った時は、足が鉛のように重かった。こんなに疲労したのは、初めてのマスボクシング以来だ。沢木監督が顔をタオルで拭いてくれた。タオルが真っ赤になるのを見て、自分が鼻血を流していたのに気が付いた。

「もう1ラウンドいけるか」

「はい」

「鏑矢は速いやろう」

「はい」

「でもな、あいつも人間や。一発くらい入れてみろ」

「はい」

「あいつは右を空振りした時に体が流れる。その瞬間に左を打てば当たる」

ブザーが鳴った。優紀はマウスピースをはめ直してコーナーを出た。

監督が言った言葉を頭の中で反芻《はんすう》した。

ジャブが飛んできた。よけたつもりが当たっていた。くそっ、何て速いんや。こちらの予想よりもずっと速い。でも鏑矢が当てる直前に力を抜いているのもわかっていた。もし試合のように本気で打ってきたら、どれだけ速いパンチになるんだろうと思った。

鏑矢の左ジャブを防ぐのは無理だと思った。右手はガードに専念させよう。優紀は、鏑矢の試合の相手が右を出さなくなる理由がわかった。こんなに速くて鋭いジャブをびしびし打たれたら、右手はガードに専念するしかない。

こちらの左は全然当たらない。それどころか、時たま左に合わせてクロスカウンターが飛んでくる。これも恐怖だった。自分の打った左は空を切り、その腕に交差するように肩越しに右パンチが飛んできて、テンプルを打たれるのだ。

これでは左もおちおち出せない。単調に左を突けば、カウンターを狙われる。鏑矢の相手はたいてい試合途中から極端にジャブも少なくなるが、その理由もわかった。

鏑矢の左ジャブは右のガードで何とか止めた。右が飛んできた。バックステップしてよけたつもりが鼻にもらった。

——無理だ！　こんな速い右、よけるなんて無理だ。

こうなったらもうがむしゃらにやるしかない。懐に飛び込んで行って無茶苦茶パンチを振り回すのだ。危険も多いが、こちらのパンチも一発くらい当たるだろう。

優紀は鏑矢のジャブを右でパリーして払い落とすと、大きく踏み込んだ。鏑矢はバックステップしたが、優紀は体当たりするように突進した。しかし次の瞬間体が大きくつんのめった。鏑矢はもうそこにはいなかった。

いきなり見えない方向から軽いパンチが飛んできた。一瞬のうちに死角に回り込まれていたのだ。優紀はもう一度鏑矢に突進した。しかし鏑矢にサイドステップしてかわされ、ロープに突っ込んだ。自分がまるで闘牛士に弄ばれる牛にでもなった感じだった。その時、ブザーが鳴った。

とうとう一発も当たらなかった。ただの一発も——。

しかし優紀に悔しさはなかった。逆に不思議な感動に襲われていた。ぼくの戦っている相手は本当に強いと思った。マスボクシングとはいえ、こんな相手とグローブを交えることが出来たなんて、凄いことだ！

コーナーに戻って、マウスピースを口から出すと、真っ赤になっていた。唇がずたずたに切れていたのだ。これまでマスボクシングでパンチをもらって、唇がこんなに切れたことはない。鏑矢のパンチは軽く打っても本当に切れるパンチなんだと思った。

「どうや、鏑矢は？」沢木が言った。

「はあ、やっぱり――」

「やっぱり、なんや？」

「すごいです」

沢木は笑った。

「本気で打ってもなかなか当たらんやろう」

「はい」

「次元が違うと思たんとちゃうか」

「はい」

「いつものマスより疲れたやろう」

「ふらふらになりました」

「お前の方が鏑矢よりもずっとスタミナがある。それやのに鏑矢よりもスタミナを消耗した。何でやと思う？」

「──わかりません」

「空振りしたからや。パンチというのは、当てにいって空振りするとものすごく疲労するんや」

「はい」

「それと、もう一つは鏑矢のリズムで戦ったからや。ボクシングは自分のリズムで動くと疲れへん。しかし相手のリズムで動くと倍疲れる」

なるほどと思った。鏑矢の変幻自在とも言える動きに付いて行くだけでふらふらになった。まるで鏑矢に振り回されているみたいだった。

「鏑矢は自分のリズムに相手を巻き込む天才や」

「はい」

沢木は優紀の肩を軽く叩くと、離れていった。

「木樽君、大丈夫？　鼻血流れてるよ」

丸野がタオルを持ってきてくれた。

「ありがとう」

「鏑矢君、本気でやることないのにね」

「あいつは本気やなかったよ」

丸野は首を振った。「ううん、鏑矢君は本気やったよ。私はわかるもん」

優紀は丸野の顔を見た。

「鏑矢君は本気とそうでない時の目が全然違うの。木樽君には本気で打ってたよ」

「でも……。当たる瞬間には力を抜いてた」

「何か難しいことはわからへんけど、本気やったよ」

言われてみるとそんな気もしてきた。マスボクシングの間、鏑矢の目は笑っていなかった。試合の目と同じだった。もしかしたら鏑矢は少しは本気で打っていたのか。

そう思うと優紀は嬉しさを感じた──あいつはマジで相手してくれたんだ。

その日、練習が終わって、鏑矢と帰途についている時、優紀はそのことを鏑矢に聞いた。

「俺がユウちゃんにマジで打つわけないやんか」

と鏑矢は少し語気を強めて言った。「第一、マスやで。スパーと違うんやから」

「それはわかってるけど、そやけど動きは本気やったと思う」

「そんなことないって」鏑矢はむきになって言った。

「ぼくは怒ってるんと違うねん。カブちゃんがぼくみたいなんを相手にして、ちゃんと本気で動いてくれたことに感謝してるんや」

鏑矢はちょっと照れくさい表情をした。

「まあ、かなりマジで動いてたのはたしかかな」

「ありがとう」

「ありがとうなんか言《ゆ》うなや」鏑矢は優紀のボディを軽く打った。「俺、最初は適当に手ぇ抜こうと思てたんや。せやけど、ユウちゃんがパンチ打ってきた時、何かパチーンってスイッチが入ったんや」

優紀は驚いて鏑矢の顔を見た。

「お前、ジャブ本気で当てるつもりで打ってきたやろう」

「わかったか」

「誰でもわかるわ、そんなもん」

「カブちゃんにはどうせ当たらんと思て目一杯打ったんや」

鏑矢はうなずいた。そして呟《つぶや》くように言った。「お前のジャブは速かった――」

優紀は、えっと思った。

「俺、必死でよけたもん。そん時スイッチ入ったんや」

その言葉は痺《しび》れた。鏑矢ほどの男を一瞬でも本気にさせたことが嬉しくてならなかった。

二人ともそれ以上マスボクシングの話はしなかった。

「来週、いよいよインターハイやな」優紀が言った。「優勝せえや」

「当然やんけ」

鏑矢は笑った。

八月、鏑矢はインターハイ出場のために、鹿児島県に向けて出発した。沢木監督とキャプテンの飯田が同行した。学校から出る交通費と宿泊費は三人分だった。ただし準決勝まで勝ち進めば、顧問の耀子も含めた部員全員の応援のための旅費が出ることになっていた。

「絶対に優勝して来るからな、盛大に祝勝会を頼むで」

関空のロビーで、見送りに来た優紀たちに向かって鏑矢は威勢のいいことを言った。

「鏑矢君、これ、お守り」

丸野は小さな袋を渡した。

「勝利の宝石が入ってるの。身につけといて」

「おおきに」

鏑矢は機嫌よく受け取った。

「せやけど、これ、どこにつけて戦うねん。ノーファウルカップん中でも入れとこか。金玉打たれて、これ出てきたらレフェリーびっくりやな。金玉出たー言うて大騒ぎになるで」

「しょうもない冗談を大きな声で言うな。他のお客さんもおるんや」

沢木監督が注意した。

「ほな、行ってくるわ」

鏑矢は手を振りながら手荷物検査場に向かった。

沢木監督と鏑矢の姿が見えなくなってから、丸野が呟くように言った。

「鏑矢君、勝てるかな?」

「ええとこいくとは思うけどな」

野口が言った。

「井手さんはどう思います?」

「全国のトップクラスのレベルが俺なんかにわかるわけないから予想も出来へんけど、ただ一つ言えるのは、鏑矢が負けるとこが想像出来へんことやな」

全員がうなずいた。優紀もそうだと思った。カブちゃんの負けるとこなんか思い浮かべようと努力しても無理だ。

「木樽君、今日はどうするの？」高津先生が訊いた。

「これから学校に行って練習します」

インターハイの期間中は監督とキャプテンが不在なので、自主練習だったが、優紀は毎日学校に通って練習するつもりだった。

「あなた、本当によく練習するね。その努力は尊敬するわ、皮肉じゃないわよ」

「しんどい思いしてやってるわけじゃないです。練習するのが好きなんですよ」

「練習するのが好きなの？」

「はい、練習したら練習した分、伸びるでしょう。それが楽しいんです」

「伸びが見えない時もあるでしょう？」

優紀はにこっと笑った。「見えないところで伸びてると信じるんです」

「えらいわ。鏑矢君があなたくらい練習が好きだったら――」

「今頃恐ろしいことになってるかもしれませんね。プロの世界チャンピオンかも」

「鏑矢君見てると、天は二物を与えずって古いことわざを思い出すわね」

翌日の自主練習には全員が参加した。全員といっても優紀と野口と井手の三人だけだ。キャプテンとムードメーカーの鏑矢がいないと練習場は寂しかった。

練習には丸野も顔を出していた。鏑矢がインターハイに行ってる間はもしかしたら来ないかもしれないと思っていただけに、彼女の誠実さに感心した。

インターハイのボクシング競技は六日間通して行われることになっていた。府の予選は三日ないし四日だからほぼ倍だ。全国四十七都道府県の代表が集まるトーナメント戦では、優勝までは五試合ないし六試合を勝ち抜かなくてはならない。しかも試合は毎日だ。その間、体重はきっちり維持しておかなくてはならないし、コンディションも崩してはならない。そうした意味での長丁場を乗り切る体力とスタミナ、それを持続出来る精神力が必要だった。

鏑矢の負ける姿は想像出来なかったが、彼がそんな長期間にわたって集中力を持続出来るかどうかは少し疑問だった。

大会の組み合わせは昨日ファックスで学校に送られていた。鏑矢の試合は初日からだった。優勝するまでは六日間連続して勝ち続けないといけない。一回戦の相手は青森の高校生だった。調べてみると、昨年の夏のインターハイのベスト16に入り、今年の春の選抜大会ではベスト8に入っていた。

「いきなり強いのと当たったな」

野口の言葉に、皆がうなずいた。

「東北の人って大きそう」丸野が心配そうに言った。

「アホ、同じフェザー級や」

「そうか」

「でも、寒いところの奴は根性がありそうやな」

「相撲でも東北出身の奴は強い言うからな」

優紀も見知らぬ高校生を想像した。吹きすさぶ雪の中でトレーニングを積んでいるたくましい少年の姿が浮かんだ。大阪の高校生なんかとは全然違う高校生のような気がした。もしかすると鏑矢が今まで戦ったことがないタイプかもしれない。そう思うと、少し不安がよぎった。これまで戦った相手のほとんどが、鏑矢の強いパンチを受けた途端、怯《ひる》んだ。しかし今日の相手はそうではないような気がした。

その日の練習はいつもより集中出来なかった。野口らも同じような感じで、練習場の空気も今ひとつ締まった感じがなかった。皆、鏑矢の試合結果が気になっていたからだ。

結果は飯田キャプテンが高津先生の携帯電話にメールを送ることになっていた。部員たちはみんな携帯を持っていたが、学校に携帯を持ってくるのは禁止という校則の手前、高津先生の前で携帯電話を出すわけにはいかなかったのだ。

練習しながらも全員が机の上に置いてある高津先生の携帯電話に注目していたが、練習中はついに一度もかかってこなかった。

練習が終わっても、皆、解散せずに床に座って結果を待っていた。

「もう終わってる頃やろ」

野口が言った。

「今日は開会式があるから試合開始が遅いのと違うか」

「そやけど、もう三時やで。フェザーの試合はもう終わってるやろ」

「どっちにしても結果は知らせてくれるやろ」

その時、机の上の携帯電話がぶるぶると震えた。高津先生が急いで携帯を手に取った。

「飯田君からメール」

高津先生が言った。皆が次の言葉を固唾《かたず》を呑んで待った。

「鏑矢君――勝ち」

全員が一斉に歓声を上げた。

優紀はほっとしながらも凄いなと思った。一回戦でいきなり今年の選抜のベスト8を破ったのだ。他の出場選手たちの度肝を抜いただろう。

「内容は？」

「2ラウンド、RSCO勝ちってなってる」

「RSCOって何なん？」

野口が聞いた。優紀も初めて聞く言葉だった。

「さあ」高津先生も首をかしげた。「入力ミスで0を打ち込んでしまったのかな」

「RSCOというのはレフェリー・ストップ・コンテスト・アウトクラスの略です」

丸野が言った。

「何それ？」

「アマチュアのブロック大会以上はGマシーンが使われていて、五人のジャッジがパンチが当たった瞬間にボタンを押すんですけど――」

「それは知ってる。近畿大会でもそうや」

「全国大会では、そのGマシーンがコンピューターにつながっていて、一秒以内に三人以上のジャッジがボタンを押すと、1ポイントと判定されるそうです」

井手が、へえと声を出した。

「丸野、ようそんなこと知ってるな」野口が言った。

「この前調べたんです。それで、全国大会では、途中でそのポイントが15ポイント差になったら、その時点で審判長がストップするんですって――」

「何でそんなんするん？」

「選手の安全性を考えてって書いてありました。力量差がある試合を続けるのは危険だからって」

「なるほどなあ」

「そやけど、2ラウンドで15ポイント差つけるって、一方的に打ちまくったんやな」

「カブの奴も打ち疲れたんとちゃうか」

皆が笑った。しかし優紀は少し複雑な気持ちだった。RSCO勝ちということは、少なくとも十五発以上もパンチを当ててRSC勝ち出来なかったということじゃないだろうか。鏑矢のパンチが効かなかったのか、それとも相手の耐久力があったのか。いずれにしても全国大会に出てくる選手は簡単には倒れてくれないのだ。鏑矢はそういう相手と、この後五試合も戦っていくのだ。そう考えると、優紀は不安なものを感じた。

　その夜、鏑矢から電話がかかってきた。

「おめでとう」

「サンキュー」

「どうやったん？　ダウン取れんかったんか？」

「ダウン取ったで。1ラウンドに一回、2ラウンドに一回。あと一回ダウン取ったらRSCやなと思てたら、急に笛がなって試合ストップや。一応RSCやったけど、何か拍子抜けやったわ」

　優紀はちょっとほっとした。鏑矢のパンチが効かなかったわけではなかったのだ。

「それよりな、可愛い子と知り合《お》うたで。秋田県の子ぉなんや。同じ旅館におんねん。友達になってな、明日試合終わったら、応援に行くねん」

「その子もインターハイに出てんの？」

「うん、バスケットの子やねん。めっちゃ可愛いで。秋田美人いうのはホントやな。さっきまで一緒にロビーで話しててん。そやけど、これからという時に、向こうの監督が来て、解散になってしもた。ああ、せっかく夜のデートに誘おうと思てたのになあ」

こいつは何しに行ってるんだと思った。

「試合の方は大丈夫なんか?」

「明日は大丈夫。初出場の二年生らしいわ」

「カブちゃんかて初出場やないか」

「そらまあそうやけど、まあ今日の相手よりも楽やろう」

電話を切った後、優紀は思わず笑った。不安に思っていた自分がおかしかった。鏑矢は自分が思っているよりもずっとタフだ。試合のことよりも、旅館で出会った女の子のことで頭が一杯になるなんて、いかにも鏑矢らしい。この余裕ぶりを明日みんなに伝えたら安心するだろう。あ、でも丸野には言えないなと思った。

その夜、ベッドの中で優紀は鏑矢が言っていた女の子の話を思い出した。鏑矢が旅館で秋田県のバスケット女子部員に冗談を言ってる姿が浮かんだ。きっと明日の試合の緊張もなく、楽しい冗談を言っていたのだろう。大阪弁で笑わしていたのかもしれない。秋田美人って言っていたな。それはどんな子なんだろう。

鹿児島県の旅館やホテルでは、同じような光景が至るところで繰り広げられているのだろう。日本中から集まったインターハイ選手の男女が出会って友人になる――それはロマンチックな光景に思えた。そんな高校生たちを羨ましく思った。

自分にもいつかそんな日が来るのだろうか。旅館で出会った素敵な女の子に、何の選手かと聞かれ、大阪から来たボクシングの選手と答える。きっと彼女は驚くだろう。そしてお互いに健闘を祈り、また明日も会おうと約束する——。

そこまで考えた時、自分の想像が恥ずかしくなって、寝返りを打った。

次の日も練習には全員が顔を出した。

机の上には、高津先生の携帯が置かれていた。昨日と同様、みんな、練習中もその携帯が気になって、今ひとつ身が入らなかった。

今日勝てば、ベスト16だ。今日の相手は無印だからまず大丈夫だとは思うが、ボクシングだけは何が起こるかわからない。それに新星のように強豪が現れる世界と聞いている。

昼過ぎに携帯が鳴った。皆が練習をやめて先生の方を見た。

「勝った！」

高津先生がそう告げると、皆、声を上げた。

しかし高津先生は少し複雑な顔をした。「——ポイント勝ちやて」

優紀は耳を疑った。ポイント勝ちということは3ラウンドをフルに戦ったということとだ。

「26対13——。一方的やね」

その言葉は優紀には慰めにならなかった。ポイントでは一方的とはいえ、ストップ勝ち出来なかったのだ。鏑矢が最終ラウンド終了のゴングを聞いたのは初めてのはずだ。いや、3ラウンド目を戦ったこともなかったのではないか。

「鏑矢でも倒せへん奴がおるんか」野口が言った。

「牛みたいに頑丈な奴か」

井手が軽口を叩いたが内心では動揺しているのが優紀にはわかった。鏑矢は変調でも起こしたのか、それとも全国のレベルというのは自分たちの思っている以上に高いのか。

「まあ、とにかく勝ったんやから、よかったんやないの」高津先生が言った。

その通りだ。これで鏑矢はベスト16に入った。次勝てばベスト8だ。さらにもう一つ勝ってベスト4に入れば、学校から部員たちの応援の旅費も出る。

その日の夜も、鏑矢から電話があった。

「ポイント勝ちやったな」

優紀の言葉に鏑矢は、へへへと笑った。

「ガードばっかり固めてきよる奴やったんや。勝つ気あらへんのかと思たわ」

「そんなんやったらレフェリーに注意されるやろう」

「三回注意されて、最後は減点くらいよった」

「減点は何点なん？」

「全国大会は2ポイント言うてた」

「みんな、カブちゃんが判定まで行ったから心配してたで」

「心配あるかいな。それより、ケイちゃんと仲良うなったで」

「誰やねん？」

「昨日言うた子や。今日、試合終わってバスケットの会場まで応援に行ったんや。けど可哀相に負けてしもてな——。そやけど、慰めたったら、俺の胸で涙流したんや。映画みたいなシーンやったで」

優紀は呆れた。

「そやけどな」鏑矢が急に力のない声を出した。「ケイちゃんら明日帰るんや。もう明日から楽しみがあらへんわ」

「あんなあカブちゃん、遊びに行ってんのとちゃうで」

「わかってるがな。俺が本気でやるのは準々決勝に入ってからや。それまではウォーミングアップみたいなもんや。明日は軽くベスト8入りやで」

たしかに明日の相手の東京代表は特にこれといった実績もない選手だった。それよりも順当に行けば次の試合で当たる昨年のインターハイ準優勝者が大きな壁になりそうだった。

「コンディション崩さんようにせいや」

「わかってるって」

優紀は鏑矢のあまりの緊張感の無さに拍子抜けしたが、同時に頼もしさも感じていた。もしこれが電話口の優紀にも伝わるくらい緊張していたら、逆に不安でたまらなかっただろう。もっとも鏑矢のそんな姿なんか想像も出来なかったが。

翌日の練習はいつものように集中出来なかった。インターハイは三日目だから各階級は十六人に減っている。もっとも各階級八試合行うわけだから、全部で七十試合を超える。それでも昨日の試合数の半分だから、昨日よりも早く試合が終わるはずだった。

優紀たちは早めに練習を切り上げ、高津先生の携帯が鳴るのを待った。しかしいつまで経っても携帯は鳴らなかった。

皆、何をするでもなく、練習場でだらだらして時間を過ごした。

気が付けば時刻は二時を過ぎていた。フェザー級の試合はとっくに終わっている時刻だ。いくら何でも遅すぎる——。

その時、机の上の携帯が震えた。高津先生が携帯を取った。画面を見た彼女の顔が固まるのが見えた。

「——負けた」

一瞬、練習場が沈黙した。

「内容は?」と野口が緊張した声で訊いた。

画面を操作した高津先生が唾《つば》を呑み込むのが見えた。「3ラウンド、RSC負け」

「信じられへん!」

丸野が叫んだ。その気持ちは優紀も同じだった。——カブちゃんがRSC負け? ダウンを奪われてストップ?

「鏑矢君がRSCで負けるなんて、そんなん有り得へん!」

「飯田君はそう言ってる」

高津先生は怒ったように携帯画面を突き出して言った。

丸野は両手で顔を押さえた。それから声を出して泣いた。高津先生が彼女の肩を抱いた。丸野はそのまま高津先生の胸にすがるように泣いた。

皆、予期しなかった鏑矢の敗戦に呆然としていた。練習場の中で丸野の泣き声だけが聞こえていた。

「あいつは俺らの希望の星やったんや」

帰り道、野口は優紀に言った。

「あいつは俺らよりもはるかに強い。比べもんにならんくらい強い。そやけど、何て言うたらええんかわからへんけど、あいつが全日本クラスにつながってると思ってたんや。あいつにちょっとでも近付くことで、俺らも全日本クラスに近付けるみたいな気持ちかな」

「はい」

「そやけどなあ、鏑矢が全国大会のベスト8入りの試合であっさり負けるとなると――。何か、もう全国のトップクラスなんか、俺や飯田たちなんかには夢にも見られへんはるか彼方みたいな気がしたんや」

「でも、鏑矢は近畿の大会でも去年のインハイのベスト16に勝ってるし、今度の大会でも選抜のベスト8に勝ってますよ」

「それはわかってる。そやけど、何ちゅうか——ボクシングって、今の強さが勝負やろう。昔のチャンピオンに勝っても今のチャンピオンより強いことにはならへんやろ」

優紀もそうだなと思った。ボクシングで以前の実績は関係ない。リングの上は、今どちらが強いかを競う場だ。

「ああ——」と野口は嘆息した。「鏑矢でも勝たれへんて——インハイいうのはどれくらいレベルが高いんや」

優紀は答えなかった。

「トップクラスは、ほんまにバケモンの集まりかよ！」

優紀は野口の気持ちがわかるような気がした。鏑矢は自分たちに全国クラスへの道を見せてくれていたのだ。自分には進めない道かもしれないが、その道をたしかに見ることができていた。しかし、鏑矢の敗戦は、その道が幻だったことを教えた。

鏑矢さえも行き着けない場所——それは野口にとってだけでなく、恵美須高校のボクシング部員にとっても絶望的な答えだったのだ。

第14章 合宿

鏑矢の敗戦は部員にショックを与えたが、耀子にとっても十分に衝撃的だった。

優勝出来ると信じていたわけではなかったが、三回戦でノーランキングの選手に負けるとは予想していなかった。これがボクシングの怖さかもしれなかった。

鏑矢は翌日、沢木監督と一緒に練習場に現れた。

「朝、鹿児島を発って、さっき大阪に着きました」

沢木監督が耀子に言った。「ずっと旅館暮らしやったから一旦家に帰ろうと思いましたが、みんな練習に来てるいうから、関空から直行しました」

「お疲れさまでした」耀子は言った。

沢木監督の横で鏑矢がつまらなさそうな顔をしていた。

「あーあ、史上初の高校八冠逃してしもた!」

鏑矢の発した第一声がそれだった。

「残念やったね」

「残念どころちゃうわ。ほんまスカタンこいてもうた。もう一回やらしてほしいわ」

「もう一回やったら勝てる?」

と丸野が無邪気に訊いた。

「当たり前やんけ。今度やったら1ラウンドで倒したる。大体あの試合もポイントはリードしてたんやけど、ヘボレフェリーが止めやがったんや。有り得へんわ」

「ひどい!」

「そやろ。パンチなんか全然もろてへんのに、ダウン取りやがって——」

耀子が沢木監督の顔を見ると、彼は苦笑した。

耀子は鏑矢が敗戦で落ち込んでいないことで少しほっとした。その一方でけろっとした態度が腹立たしくもあった。この子には敗北をバネにしようという精神がないのかと思った。

「あー、チキショウ!　これで高校八冠は無理になった。ショックやあ」

鏑矢は床の上にしゃがみ込んだ。やっぱりそれなりにショックは受けているようだった。

「もう練習する気も起こらへんわ」

「大丈夫、この後全部優勝したらええんやから」

丸野はそう言って励ましたが、鏑矢は逆に喰ってかかった。

「全部勝っても、もう八冠獲《と》れへんやないか！」

「七冠の方がかっこええよ」

「お前、アホか」

「七は縁起のええ数字やで」丸野はにこにこして言った。「ラッキーセブンて言うし、七不思議やし。ほんで七福神も七人やし」

鏑矢はなるほどという顔をした。「ウルトラセブンいうのもあったなあ」

「そうよ、将棋の羽生《はぶ》も七冠王やったやん」

「七冠王の方がカッコええ気がしてきたわ」

「そやろ。だから、元気出して！」

鏑矢は立ち上がった。

「過ぎたことごちゃごちゃ言うてもしゃあないしな。次の国体は絶対優勝するわ」

「頑張って！」

鏑矢は「まかしとかんかい」と言いながら、更衣室に向かった。耀子と沢木は思わず顔を見合わせて苦笑した。

「実際のところはどんな試合だったんですか？」

練習が始まってから、耀子は沢木に聞いた。沢木は部員たちの方をちらっと見て、廊下に出ましょう、と言った。

「どないもこないもないですわ」廊下に出るなり、沢木は苦い顔をして言った。「試合途中でスタミナが切れてしもて——」

「まあ」

「あいつ、朝、旅館の秤に乗ったら、３００オーバーしとったんですわ」

「３００グラムですか」

「聞いたら、前の晩、同じ旅館のどこぞのバスケット部の女の子の部屋に遊びに行って、おにぎりやお菓子をたらふく喰ったらしいんですわ。試合前や言うのに、全然自覚のない奴ですわ」

耀子が眉をひそめるのを見て、自分が非難されたと思った沢木は慌てて言った。

「まあ高校生やし、試合の緊張感もあるし、女の子と仲良くするくらいは多少は大目に見てやろうと思てたんですがね。向こうは大部屋やし、変なことは出来ないし」

「当然です」

「それに次の日の相手はたいしたことがないと思てて、締めるのは三回戦が終わってからと思てたんでね。十時までには部屋に戻れとだけは厳命して、ちょっと自由にしてやったんですが――まさかボクサーが夜にモノを喰うとは」

「あの子はその点、全然自覚がない子ですよ」

「とにかく、そんなわけで朝から着込んで、ロープですわ。三十分も跳んでようやく落としましたが、朝から余計なスタミナ使《つこ》て――」

沢木はまた苦い顔をした。

「多分、本人も長丁場になるとやばいと思たんでしょうな。1ラウンドから飛ばしよったんです。1ラウンドにスタンディングカウントを取って、一気にRSC狙って無理に攻めたんですが、そこでもう一回ダウンを取れずに、逆にスタミナを失ってしもて――。2ラウンド目からはもう肩で息してましたわ」

「2ラウンドで、ですか」

「そっから完全に流したボクシングしましたわ。アグレッシブやないということで二回も注意喰ろて。それでもポイントは取ってましたが、3ラウンドになると、もうふらふらでした。相手の子が逆にえらいスタミナのある奴で——。カブのほうは足が止まってしもて、ロープに詰められて、たしかにパンチはもらってませんでしたけど、スタンディングカウントを二回取られて、あっさりRSC負けですわ」

耀子は呆れると同時に少しほっとした。鏑矢は決して力で負けたわけではなかったのだ。パンチをもらって、惨《みじ》めにリングに倒れたわけではなかったのだ。

鏑矢に勝った相手は次の準々決勝で昨年のインターハイ準優勝者の選手に敗れた。その選手は準決勝で敗れて三位になった。

大阪代表の七人は三人がベスト8に入ったが、優勝はライト級の稲村だけだった。

耀子はそれを聞いて、稲村は鏑矢よりもはるかに凄い選手だと思った。優勝候補と騒がれて尚《なお》かつ優勝するというのは、無名の選手が優勝するよりもむしろ難しいことかもしれない。勝って当然というプレッシャーの中で戦うということは想像以上に苦しいものがある。稲村の名を高校ボクシング界で知らない者はない。稲村の試合は多くの学校関係者がビデオ撮影しているだろう。おそらくライト級で全国上位を狙うボクサーなら皆見ているはずだ。そのスタイルも戦い方も徹底的に研究されているに違いない。陸上競技と違って、対戦スポーツは数字で戦うのではない。相手の得意技を封じて、こちらの有利な戦い方に持ち込めば勝てるのだ。しかしこの大会でも彼の牙城を崩す者は一人も現れなかったのだ。

稲村の強さは筋金入りの本物だと思った。鏑矢のような穴だらけの強さではない。耀子は前に曾我部が言った言葉を思い出した。稲村と鏑矢が戦えばと聞いた時、彼は「話にならんよ」と答えた。あの時はどちらが勝つという意味かわからなかったが、今ははっきりわかった。

インターハイの全国大会が終わって、再び練習の日々が始まった。飯田たち二年生にとっては秋に行われる選抜予選に向けての始動だったが、鏑矢にはその前に国体が控えていた。

しかし耀子の目には、鏑矢の様子は以前とほとんど変わらないように見えた。もしかしたら鏑矢は初の敗北によってボクシングの怖さのようなものを知って何かが変わるのではないかと思っていたが、それは無駄な期待だったようだ。

それもそうだろう、と思った。本人は全然負けたとは思っていないからだ。多分、これがこの子の強さであり、弱さでもあるのだ。せっかく大きな授業料を払ったにもかかわらず何も得ることがないなんて——耀子は心の中でため息をついた。

八月中旬、箕面市《みのお》にあるスポーツジムで三泊四日で国体のための合同合宿が行われた。

大阪のジュニア代表選手六人が集まり、泊まり込みで練習するのだ。国体のボクシングは個人戦だったが、代表選手の成績を総合しての府県対抗戦と謳《うた》われているだけに、団体として形を整える意味があるのかもしれない。それに普段は一緒に練習することのない者同士が顔を合わせて技術を競い合うのは決してマイナスではない。

国体の監督には、今回最多の三人の代表選手を出している玉造高校ボクシング部の苑田監督がなっていた。そしてコーチには、代表選手二人を送り込んでいる朝鮮高校の金《キム》監督が決まった。鏑矢は合同練習に乗り気でなかったが、沢木監督に言われてしぶしぶ参加していた。

合宿の二日目に、耀子は沢木監督と一緒に見学に行った。そのスポーツジムは玉造高校のOBが経営しているジムで、鉄筋コンクリート造り三階建ての立派なものだった。ビルの中にはスイミングプールもあった。すぐ近くに府の宿泊施設もあり、選手たちはそこで寝泊まりすることになっていた。

スポーツジムには昼前に着いた。

ボクシングジムは地下にあった。ジムはプロのためではなく、フィットネスボクシングやボクササイズのためのものだったが、ちゃんとリングもサンドバッグもあった。広さは学校の教室を二回り大きくしたくらいだった。

苑田監督が耀子らの姿に気付いて挨拶した。苑田監督は四十代半ばのがっしりした男だった。坊主頭で眼光の鋭い風貌は学校の教師には見えなかった。

ジムの中で練習しているのは五人だけで、鏑矢の姿はなかった。

「鏑矢はどうしたんです？」

沢木監督の質問に苑田監督は苦笑いした。

「外で休んでます」

耀子は思わず「えー」と声を出してしまった。

「彼はちょっとスタミナがないですね。合同練習に付いて来られへんみたいです」

沢木監督は「申し訳ない」と頭を下げた。

「いやいや」苑田監督は手を振った。「うちはいつもやりすぎるくらいやってるんで――。でも朝鮮高校の連中のスタミナもすごいですわ。あれはうち以上にやってますな」

耀子は練習している五人の選手を見た。ちょうど全員がシャドーボクシングをしているところだったが、その激しい動きは恵美須高校のボクシング部員にはないものだった。

「お互い、張り合うみたいに練習するもんやから、初日からえらいハードになってしもて――」

「脱落したんは、うちの鏑矢だけというわけですね」

沢木監督の言葉に苑田監督は笑った。

耀子は練習を見ていて、なかなかブザーが鳴らないのに気が付いた。

「あのう、ラウンドが長いように思うんですが」

「ここでは1ラウンド三分でやってます。インターバルは三十秒です。試合は1ラウンド二分ですが、練習はそれよりもきつい時間ちゅうわけです。うちも朝鮮高校もいつもそれでやってます」

恵美須高校の練習は1ラウンド二分でインターバルは一分だ。それでも今五人の選手がやっているよりもだらだら練習している。毎年インハイ代表を何人も送り込むような高校はすべてが違うのだと耀子は思った。

「でもね、沢木さん」苑田監督が言った。「お世辞言うわけやないですけど鏑矢はすごいですね」

「はあ」

「あれだけスタミナがなくて勝つんですから、たいしたもんですよ」

「インターハイでは悲惨でしたが」

「ああ、あれはひどかったですね。後半はめろめろでしたからね。そやけど、それでも相手のパンチはもらってなかったですよ」

沢木は苦笑いしたが、耀子は鏑矢の強さを玉造高校の監督に認めてもらえたことが嬉しかった。

「誰かに鏑矢を呼びに行かせましょうか」と苑田監督が言った。

「いいですわ。戻るまで待ちますわ」

「そうですか。それでは、私はちょっと選手たちを見てきます」

その時、ブザーが鳴った。しかし選手たちはすぐには動きを止めずに、軽いステップを踏みながら体を休めている。一見すると練習が続いているように見える。

耀子はそれを見ながら、鏑矢は普段の練習の時もこういう動きをしているなと思った。要するに、あれは練習していると見せかけて休んでいたのだ。

予鈴のようなブザー音が聞こえた。選手の誰かが「セコンド・アウト」と言った。どうやら五秒前の合図らしい。すぐにブザーが鳴った。

五人の選手たちは一斉にシャドーを始めた。皆、鋭いパンチを繰り出している。かなり離れている耀子にもその音が聞こえてくる気がした。中でも稲村のシャドーはひときわ光っていた。その動きにはまるで実戦のような鋭さがあった。

耀子たちのところに女の子がパイプ椅子を持ってきた。

「ありがとう。あなたは？」

「私は朝鮮高校ボクシング部のマネージャーです。合宿のお手伝いに来ています」

髪の毛の長い美少女で、韓流ドラマに出てきそうな綺麗な顔立ちをしていた。

練習は延々と続いた。耀子たちが来る前にどれくらいやっていたのか知らないが、鏑矢がグロッキーになるくらいだから、かなりやっていたのだろう。

途中、マスボクシングもあった。朝鮮高校の選手と玉造高校の選手の対戦だったが、耀子が今まで見てきたものより激しかった。

「あれってもしかして、スパーリングですか？」

耀子の問いに、沢木は「スパーに近いですね」と言った。しかししばらくじっと見てから、「いや、違います。スパーではなくてマスですね」と言った。

耀子には力一杯打ち合っているように見えたが、専門家の目には本気で打ち合ってはいないのがわかるのだろう。

マスボクシングが終わると、苑田監督と朝鮮高校の金監督がパンチングミットを両手に構えて、選手のパンチを受けた。金監督は二十代の若い監督で、大学生くらいに見えた。それだけに動きもきびきびしていた。

練習場に、選手がパンチングミットにパンチを打ち込む大きな破裂音が次々に響く。

サンドバッグを打つ者もいる。パンチがバッグにめり込むと、大きな鈍い音と同時にバッグを支えている鎖がきしむ音がする。

床の上をリングシューズがこする音がする。パンチを出すたびに、キュッという鋭い音がする。おそらく強く足を踏みしめているのだろう。

時々、気合いを入れるための選手たちの叫ぶような声が響く。

耀子は軽い疲れを感じた。

すべての光景が普段見慣れているものとは違っていた。恵美須高校のボクシング部はここでの練習に比べると、ぬるま湯に浸かっているようなものだ。同じ競技の練習をやってるとは思えないほどだ。鏑矢は多分そのぬるま湯の中で錆《さ》びてしまったのだろう——。

いつのまにか沢木監督がいなくなっていた。おそらくタバコでも吸いに行ったのだろう。

ようやく練習が終わった。しかしまだ終了ではなかった。各選手はそれぞれ腹筋運動、腕立て伏せ、首の運動、ストレッチなどを三十分以上してから、やっと終了となった。

さすがに五人の選手はぐったりして、床の上に寝そべっていた。

「よーし、朝の練習は終わり。午後は五時から。四時半には集合するように」

選手たちは、はいと言った。

その時、鏑矢がふらりと現れた。

「どうした、元気になったか？」

苑田監督が声をかけると、鏑矢は苦笑した。

「ちょっと吐いてしもて――、そやけど休んだらましになりました」

「午後は練習出来るか？」

「大丈夫です」

「よし、午後はスパー行くぞ。2ラウンドや。用意しとけ」

スパーと聞いて、鏑矢はちょっと複雑な顔をした。

「誰とやるんですか？」

「稲村や」

鏑矢の表情が強張《こわば》った。

「お手柔らかに頼むぞ。うちの稲村を壊さんといてくれよ」

「俺が壊されるんとちゃうん?」

苑田監督はそれには答えず、大きな声で皆に向かって、「解散」と言った。

耀子は鏑矢のところに近付いた。

「あんた、吐いたん?」

「ううん。何で?」

「さっき吐いた言うてたやん」

「ああ、あれは嘘や。そう言わんと、さぼったみたいやん」

あなたがさぼってることなんかとっくにバレバレだと言おうと思ったがやめた。それよりも午後にやるという稲村とのスパーリングの方が気になる。

その時、鏑矢の目がしきりに何かを追いかけているのに気付いた。その視線の方向を見ると、先ほどの朝鮮高校の女子マネージャーがいた。彼女は鏑矢の視線に気付いて笑顔を送った。鏑矢も笑って手を振った。耀子は呆れると同時に腹が立ってきた。

「稲村君とスパーリングするのは初めて?」

「初めてや」

「大丈夫なん？」

「多分、大丈夫でしょう」

鏑矢はとぼけた口調で言った。

「でも、階級が違うのに、大丈夫なん？」

「たいしたことあらへん。ここには同じ階級の選手はおらんから、しゃあないんや。昨日は俺、バンタムの選手とスパーしたから。稲村もたしか昨日はライトウェルターとスパーしてたで。相手は一階級上やのに、圧倒してたけどな」

鏑矢はにやっと笑うと、再び練習場を出ていった。

耀子は少し動揺していた。鏑矢と稲村はいつか戦うことになるだろうと勝手に想像していたのだが、その日が突然こんな形で訪れるなんて——。しかも自分が来たその日に。耀子は何か運命的なものを感じた。

その時、沢木監督が戻って来た。口元からかすかにタバコの匂いがした。

「午後に鏑矢と稲村君がスパーリングするんですって」耀子は沢木監督に言った。

「ほう、それは今日来た甲斐がありましたね」

「どっちが勝つでしょう？」

「スパーリングは試合と違うから勝ち負けはありませんけど」

「けど、実戦に近いのでしょう」

「そういうスパーもありますけどね。まあ、今日はお互いそんなに必死でやらんでしょう。マスに近いスパーになるんとちゃいますか」

耀子にはそうは思えなかった。

あの二人がリングに上がったら、それこそ火の出るような打ち合いをするに違いない。スパーリングとはいえ、試合のような激しいものになるだろう。ただ、階級の差というのは小さくはないはずだ。一階級上の選手のジャブは下の者にはストレートになると聞いたことがある。

はたして鏑矢のパンチは稲村に効くのだろうか。そして稲村のパンチに鏑矢は耐えられるのだろうか。想像すると、耀子は胸が苦しくなってきた。


午後の練習が始まった。

最初は柔軟体操から始まって、次にロープスキッピングだ。六人の選手が揃ってロープを跳ぶ姿はちょっとした見物《みもの》だった。子供の縄跳びとは全然違う。ステップは軽やかで、足がほとんど床に着いたまま跳んでいるように見える。

鏑矢のロープを見るのは初めてだった。こういう地味な運動は嫌いなタイプだったから、普段はまったくやらなかった。しかし実に上手だった。足先が床にくっついている感じは他の選手以上だったし、跳んでいるのか跳んでいないのかわからないくらい体がほとんど動かなかった。他の五人の選手も見事なロープを跳んでいたが、耀子の目には鏑矢が一番上手に思えた。

——この子は本当に何でも巧みにやるんだわ。

3ラウンドのロープが終わると、めいめいがシャドーボクシングを始めた。途端に鏑矢の動きが鈍った。というか、他の選手に比べて明らかに手を抜いている。恵美須高校で練習している時よりも手を抜いているように見えた。多分、いつもより長い練習時間を考えて、彼なりにペース配分しているのだろうと思ったが、それでは結局いつもと同じことではないか。きつい練習をしてこそ、体力も精神力もアップするのに。

何ラウンド目かに、苑田監督が「次、稲村と鏑矢、スパー行くぞ」と言った。耀子の全身に緊張が走った。いよいよ運命の時がやって来た。

そのラウンド終了と同時に、玉造高校の生徒が鏑矢と稲村にヘッドギアをつけた。スパーリングということで、両者は短パンの上からノーファウルカップをつけた。下腹部と男性の急所を守るためのプロテクターだ。試合では必ずトランクスの下に着用が義務づけられている。ぱっと見には相撲のまわしみたいに見える。

両者はグローブをはめて、リングに上がった。グローブは12オンスのものだった。試合用の10オンスグローブより一回り大きい。

予鈴のブザーが鳴り、誰かが「セコンド・アウト！」と怒鳴った。五秒後にラウンド開始のブザーが鳴った。

鏑矢は跳ねるようにコーナーを飛び出した。対する稲村はゆっくりとコーナーを出た。両者の試合の時のスタイルと同様だった。耀子は試合の時よりも緊張を感じた。

最初にパンチを出したのは鏑矢だった。速い左ジャブを繰り出した。大きな12オンスのグローブでこんな速いジャブが打てるのか、と耀子は思った。

稲村は右手でパリーして払いのけた。鏑矢は今度は素早く稲村の左に回ってジャブを打った。死角から飛んできたパンチを稲村は瞬間的に肩を上げてブロックした。そしてすかさず体の向きを変えてストレートのような速いジャブを打った。鏑矢はそれをヘッドスリップしてよけると同時にジャブを返したが、稲村も首を振ってそれをかわした。

両者が離れた時、苑田監督が感心したように、ほぉと言った。沢木監督を見ると、彼もまたリングを凄い顔で睨《にら》んでいた。朝鮮高校の金監督も厳しい目でリングを見ている。

再び接近し、互いにジャブを打った。グローブがぶつかり革のこすれる音がした。稲村が左のリードパンチなしにいきなり右を打った。鏑矢は上体を折り曲げるようにダッキングしてかわすと、左フックを脇腹に打った。が、稲村も素早いボディワークでそのパンチをかわした。

耀子は鏑矢が苦笑いするのを見た。今のパンチをかわされるとは思っていなかったのだろう。

鏑矢は強引に左でボディから顔面への二段打ちで稲村を攻めた。12オンスのグローブで打っているとは思えないくらいの速いダブルフックだった。しかし稲村は一発目のボディは右肘でブロックし、二発目の顎を狙ったパンチは上体を反らすスウェーバックでかわした。しかし鏑矢は続けて三発目の左フックを追い打ちした。しかし稲村は右のグローブでそれを受け止めた。

稲村が左フックを打ったが、鏑矢はまたもダッキングしてかわした。パンチの空を切る音が耀子の耳にも届いた。

耀子は、もしこれが試合用の10オンスグローブならと思った。当然パンチのスピードが上がるだろうから、どちらかのパンチが当たっているだろう。しかしそれはどちらが打ったパンチが当たるのか耀子にはわからなかった。

両者は接近してショートパンチを応酬したが、二人共にクリーンヒットはなかった。

稲村がパンチを空振りした直後、両者はクリンチした。普通マスやスパーではクリンチなど滅多にない。かりにあってもすぐに互いに両手を開いて体を離す。しかしこの時、鏑矢と稲村はすぐには体を離さなかった。不用意に離れた時に、パンチをもらうのを警戒したからだ。まるで真剣勝負をやっているようだった。

「ブレークしろ！」

苑田監督の声で、二人は離れた。両者は一度互いに右のグローブを合わせてから、スパーリングを再開した。そこでラウンド終了のブザーが鳴った。

二人は互いにコーナーに戻った。耀子は思わず大きな息を吐いた。

「すごいスパーやなあ」金監督が感心したように言った。

ボクシングに関しては素人の耀子もそう思った。もしかしたらこんなレベルの高いスパーリングは滅多にないのではないか。

セコンド・アウトのブザーが鳴り、五秒後にラウンド開始のブザーが鳴った。

鏑矢はコーナーを軽やかに飛び出した。

「午前中ほとんど休んでる分、スタミナはありそうですね」

金監督は耀子に言った。耀子は苦笑するしかなかった。たしかに稲村にはハンデかもしれない。しかし鏑矢には体重のハンデがある。

鏑矢がリング上で不思議な動きを始めた。ステップを踏みながら稲村の周囲を回り始めたのだ。

稲村はパンチを出すタイミングを摑《つか》めないのか、ジャブが少なくなった。反対に鏑矢は稲村の周囲をサークリングしながらジャブを連打した。稲村はブロックしていたが、右腕は守りに使わされていた。鏑矢はさらに動きを速めてジャブを様々な角度から繰り出した。稲村は防戦一方になってきた。

焦った稲村はいきなりの右を打った。しかし鏑矢は軽々とかわすとジャブをカウンターで当てた。

鏑矢の動きのスピードがさらに上がった。稲村の周囲を飛ぶようにステップを踏んでいる。耀子はあっと思った。

――風だ。いつか見た風だ。

鏑矢はまさに疾風のように稲村に近付くと、速いジャブを打った。稲村は最初の二発は防いだが、三発目はまともに顎に受けた。右を返したが、鏑矢はもうそこにはいなかった。

こんな素晴らしい動きの鏑矢は見たことがなかった。これまで七試合鏑矢の試合を観戦してきたが、間違いなく最高の出来だ。

もしかしたら今、鏑矢は一世一代の試合をしているのではないだろうかと思った。あらゆるアスリートには最高の瞬間というものがあると聞いたことがある。今日のこのスパーリングで、鏑矢は生涯最高のパフォーマンスを演じているのではないか――。

そう思うと、何か切ないような気持ちに襲われた。大きな大会でもなく、重要な試合でもなく、こんな観客もいないスパーリングで、鏑矢の中に突如神が舞い降りたのだ。何の前触れもなく突然に、だ。

そうだとしたら、これは悲劇なのか、喜劇なのか――。

稲村が左フックを振るって前進した。鏑矢は頭を下げた。フックは鏑矢の頭を巻き込む形になった。鏑矢は体を沈めると、右アッパーで稲村の胸を突き上げた。稲村の体がパンチで起こされた。鏑矢はアッパーを打った右手首を返すと、その手でストレートを稲村の顎に叩き込んだ。稲村の動きが止まり、一瞬棒立ちになった。

「ストップ！」

苑田監督が叫んだが、それよりも早く鏑矢の左フックが飛んだ。顎を打ち抜かれた稲村は腰から落ちた。

一瞬、練習場が静まり返った。全員がリングを見ていた。

「見たか！」

鏑矢が仁王立ちになって、倒れている稲村を見下ろして言った。

稲村は立ち上がると、グローブを構えたが、スパーリングは再開されなかった。苑田監督がリングに入り、スパーを中止した。鏑矢の高笑いが練習場に響いた。

耀子は足が震えていた。

第15章　左フック

「ボクシングって、人を殴るんやろ？」

夕飯を食べている時、母がぼそっと言った。優紀は「うん、まあ、殴るという表現はどうかわからへんけど、そうやなあ」と答えた。

母がボクシングのことを話題にするのは珍しかった。優紀が入部してから、ボクシングの競技のことは何も訊かなかった。

「よう殴れるね」

「スポーツやから」

「いくらスポーツでも、憎しみも恨みもない人を殴るんやろ？」

母の疑問は理解出来た。なぜなら優紀自身が一度抱いた疑問でもあったからだ。入部してからしばらくした頃に飯田に訊いたことがある。なぜか鏑矢には訊く気になれなかった。その時、飯田は言った。

「俺はそいつを憎むようにしてるんや」

「そんなこと出来るんですか？」と優紀は重ねて訊いた。

「そいつが俺を殴りに来る。俺をめちゃくちゃにしたろうと思ってる——そう考えると、そいつに対して、この野郎という気になってくるんや」

優紀は半分は納得したが半分は納得出来なかった。飯田は優紀の肩を叩いて言った。「実際にリングに上がって、パンチを受けたら、俺の言《ゆ》うてることもわかるよ」

そんな会話を思い出していたら、母は心配そうに顔を覗き込んだ。優紀は笑顔を作った。

「ボクシングはスポーツなんやで。憎しみでやるもんやない。攻撃と防御の技術を競うんや」

母はうなずいたが、息子の言葉に納得していないのは明らかだった。

「言《ゆ》うとくけど、母ちゃんが思ってるほど怖いスポーツやないで。実際に試合会場に来たらわかるけど、選手のオカンなんかいっぱい来てるで」

「子供の試合見に？」

「うん。そやからスポーツなんやって」

母は体を震わせた。「私はよう行かんわ」

優紀は笑ったが、同じことを言う親がいるという先輩もいた。前キャプテンの南野さんの母は息子が倒された試合を見て、ついに引退まで一度も観戦に来なかったそうだ。変わっていたのは鏑矢の親で、息子のデビュー戦を見て、自分の息子がこんな残酷な子供だということを知ってショックを受けて以来、絶対に見に行かないと言ったということだ。

夕飯を食べて少し休憩してから、服を着替えて夜のロードワークに出かけた。堤防を吹く風は涼しかった。1キロ先の対岸には梅田のビル群が見える。夕暮れに黄色い照明が美しい。広大な河川敷に人影はなかった。優紀は堤防から河川敷に下りた。

芝生の上でシャドーボクシングをした。左ジャブと右ストレートのワンツーを何度も打った。他のパンチも打ってみたい気持ちに駆《か》られたが、沢木監督からはまずはこの二つのパンチを徹底的にマスターしろと言われていたことを思い出し、その誘惑を打ち払った。

「ワンツーは基本中の基本だ。これをしっかりと身に付けろ。他のパンチを覚えるのはそれからでも遅ない」

監督の言う通りだ。焦っても仕方がない。試合は来年にならないと出来ない。それまでにゆっくりと確実に技術を身に付けることだ。そして体力をしっかりと付けておくことだ。

シャドーボクシングの最後に、三十秒くらいラッシュで連打した。ほとんど無酸素運動に近かった。腕に乳酸がたまり悲鳴を上げるのがわかる。体中の酸素がなくなり、心臓が爆発しそうになる。頭が真っ白になり、終わった途端に芝生の上にばったり倒れた。目を閉じて大きく息を吸い込むと、体中に酸素が行き渡るのを実感した。腕に感覚が甦ってくる。

目を開けると、月が見えた。

合宿から戻ってきた鏑矢は上機嫌だった。

稲村とスパーリングをしてダウンを奪った話は高津先生から聞いていた。スパーは12オンスのグローブで行われたということだ。あの大きなグローブで、ヘッドギアをしている相手を倒すなんて——しかも相手は一階級上で、モンスターの稲村だ。

「倒れた時、稲村は目ぇ白黒させとったで」

皆の前で、鏑矢は得意そうに言った。スパーの最初から身振り手振りで語った。

「ビデオないんか」飯田が言った。

「あ、ほんまや。誰か撮ってなかったかな。いや、撮ってないわな。残念やなあ」

「惜しいなあ」

「まあええわ。今度、試合でやる時は、丸野にきっちりと撮っといてもらうわ」

鏑矢はそう言って、丸野の姿を捜した。「あれ、丸野は？」

「この前から体の調子が悪い言うて、休んでるんや」

「あいつでも風邪ひくんか」

「丸野は体が弱いんや」優紀は言った。「何か心臓だか腎臓だかがようないって聞いてる。一学期の最初はかなり休んでた」

「ほんまか。知らんかったわ」

鏑矢は少し心配そうな顔をした。「あいつが太ってるんは、そういうこともあったんかな。俺、ブタブタ言うて悪いことしたな」

「今度会《お》うたら直接言うたれよ」

「直接言うのは、かっこわるいわ」

鏑矢はそう言うと、その場でバク宙した。皆、ほおっと言った。優紀はあらためて鏑矢の運動神経のよさと全身のバネに舌を巻いた。

丸野が鏑矢に惹《ひ》かれた理由が少しわかったような気がした。多分、彼女はずっと運動なんかしたことがなかったのだろう。だから鏑矢の躍動感漲《みなぎ》る試合を見て胸が躍ったのだ。

中学時代はすごく大人しく、人前で喋ることさえ出来なかったという丸野が、あんな風に弾けているのは鏑矢のおかげかもしれない。鏑矢に憧れた丸野は、彼の破天荒な姿を見て、自分の殻を打ち破ろうとしているのかもしれない。

丸野は今やボクシング部にはなくてはならない存在になっていた。彼女がいるだけで部室全体がいつも温かい雰囲気になっていたし、その明るい性格は皆に愛されていた。

丸野は部員たちが練習中に小さな怪我をすると、すぐに救急箱を持って駆け付けてくれたし、体の不調なども本人よりも先に気付いて、練習を控えるように助言もしてくれた。おそらく自分が体が弱いので、そうしたことに人一倍敏感なのかもしれない。落ち込んでいる時には、にこにこした顔で励ましてくれた。そうしたことでどれだけ部員たちが元気づけられたかしれない。

破れたユニフォームやトランクスを知らないうちに繕《つくろ》ってくれることもあった。鏑矢は破れたTシャツにアンパンマンのアップリケを付けられて怒っていたが、文句を言いながらもそれを着て練習していた。

優紀はこの場に丸野がいないことを本当に残念に思った。鏑矢が稲村を倒したというニュースを聞けば、それこそ飛び上がって喜んだだろう。

鏑矢が帰って来たことで、優紀の練習にもまた気合いが入った。この数日、鏑矢がいないことで今ひとつ気持ちが乗らなかったのだ。他の部員もそんな感じだった。鏑矢のような者がそばにいてくれるだけで、皆の気持ちに張りが出ていたのだ。

いつのまにか鏑矢の存在はボクシング部の精神的な柱になっていた。練習態度はちゃらんぽらんでいい加減だったが、その桁外れの実力と明るい性格は不思議な力を与えていた。一度はインターハイの鏑矢の敗戦でがっくりした部員たちだったが、稲村をスパーリングで圧倒したというニュースは、再び皆の気持ちを燃え立たせていた。

八月の終わり、優紀は沢木監督に、鏑矢とマスボクシングをさせてくれるように頼むと、監督は了承してくれた。

鏑矢とのマスは二度目だったが、今回も最初からスパーのつもりで打っていった。沢木監督は優紀が本気で打っているのを見抜いていたはずだが、前回同様何も言わなかった。

鏑矢も予想していたようで、少しも慌てなかった。優紀のパンチを軽く外すと、カウンターの左ジャブを当ててきた。優紀は鏑矢の左に合わせて右のクロスを打つチャンスを狙ったが、鏑矢はそんなタイミングをまったく与えてくれなかった。

優紀は強引に右を振ったが、空振りしてロープに突っ込んでしまった。慌てて振り向いたところに、鏑矢の軽いジャブをもらった。

優紀はテクニックで戦うことは無理だと悟った。不器用でもかまわない。がむしゃらにやるしかない。そう決意した優紀は鏑矢に突進した。しかし鏑矢は容易に接近を許さなかった。鋭いジャブで優紀の前進を阻んだ。

前に出ようと思って踏み込んだ瞬間にジャブが飛んでくる。それをかいくぐろうとしても二の矢、三の矢が飛んでくる。しかし優紀は右手でジャブをブロックしながら、前進をやめなかった。そして自らもジャブを連打した。

――自分にはジャブと右ストレートしかない。

優紀は心の中でそう言いながらパンチを出した。この数ヵ月この二つのパンチだけをひたすら練習してきた。ジャブだけなら鏑矢の何倍も打ってきたのだ。このパンチを信じることが出来ないで、何を信じろというのか。

突然、信じられないことが起きた。優紀のジャブが鏑矢の顔面にヒットしたのだ。

優紀自身あまりの驚きに、一瞬思わず動きを止めた。

「木樽、止まるな！」監督が怒鳴った。

はっとした優紀はまたジャブを打った。鏑矢はスウェーバックでよけたが、優紀は踏み込んでさらにジャブを打った。一発目、二発目はかわされたが、三発目のジャブが当たった。鏑矢の表情が変わった。

——当たる、ジャブが当たる。タイミングが摑《つか》めてきた。

優紀はジャブから右ストレートを打った。その瞬間、目の前に火花が飛んだ。腰ががくんと落ち、あやうくリングに尻餅をつきそうになった。

「カブ！　本気で打つな！」沢木監督の声がした。

——打たれたのか。

強烈なパンチだ。右か左かもわからない。まったく見えなかった。

優紀は再び鏑矢に向かおうとした時、ブザーが鳴った。

「カブのカウンターをまともに喰らって、よう倒れへんかったな」

コーナーに戻った時、監督が笑いながら言った。

「見えませんでした」

「速かったからな」

「右ですか、左ですか？」

「左フックや」

そうか、あれが左フックか。鏑矢の得意パンチだ。

凄いパンチだなあと思った。怒りなんて全然湧いてこない。憎しみなんかまったく感じない。

「もう1ラウンドいけるか」

優紀はうなずいた。

2ラウンド目が始まった。

「木樽、右は狙うな。ジャブだけを突け」

優紀は監督の指示に従い、右のグローブを顎に付け、左ジャブを突いた。鏑矢はそれを外してジャブを打ってきた。優紀はそれを右でブロックした。

「カブも左フックは打つな」

鏑矢は優紀の右に回りながらジャブを連打してきた。軽いが鋭いジャブが優紀の顔に決まる。速い！　でもよく見るんだ――優紀は自分にそう言い聞かせた。鏑矢はジャブだけを打ってきた。フックはもう打ってこなかった。優紀は落ち着けと自分に言い聞かせた。ジャブはまっすぐに飛んでくる。必ずよけられるはずだ。

しかし鏑矢のジャブは変幻自在だった。体を右に左に振り、打ってくる角度を変えてきたからだ。正面からだけでなく、斜めや横からも飛んできた。とても左手一本とは思えなかった。何本もの手を使っているようだった。

優紀は鏑矢のジャブをヘッドスリップしてかわすと、カウンターでジャブを当てた。浅くはあったが、たしかな感触が拳に伝わった。鏑矢のジャブを外した――そしてカウンターを当てた！

優紀はさらに踏み込んでジャブを打ったが、その瞬間、左ストレートの鋭いカウンターをもらった。思わず足がよろけた。その時、ブザーが鳴った。

鏑矢がにっこりして右のグローブを握手するように差し出した。優紀も笑顔で右手を出してグローブを合わせた。

「ジャブ――速いな」鏑矢が言った。「稲村より速いかもしれんで」

優紀の全身に喜びが電流のように走った。稲村よりも速いはずがないのはわかっていたが、鏑矢からそう言ってもらえたのは最高の誉め言葉だった。その時、上唇に何かぬるっとしたものを感じた。グローブでこするとまた鼻血が流れていた。

コーナーに戻ると、沢木監督が真剣な顔で優紀を見つめた。何か言われるかと思って言葉を待ったが、監督は何も言わなかった。

グローブを外して、軽くシャドーボクシングをしていると、監督が近付いて来た。

「木樽、今日からお前に左フックを教える」

思わずシャドーの動きを止めた。「本当ですか！」

「鏡の前に来い」

監督は壁に取り付けられている鏡の前に優紀を連れて行った。懐かしい場所だった。数ヵ月前、この前で左ジャブを何度も繰り返した。

優紀は嬉しくてならなかった。左フックは夢だった。ずっと打ちたくてたまらないパンチだった。しかし監督からワンツー以外のパンチの練習は一切やるなと言われていたのを忠実に守ってきた。時々、サンドバッグなどで見よう見真似で打ってみたい誘惑に駆《か》られたが、必死で堪《こら》えた。

ふと見ると、高津先生がこっちをじっと見ていた。なんでぼくなんかを見ているのだろうと思ったが、高津先生に自分の練習を見てもらえるのは嬉しかった。

沢木監督は優紀の前に立ち、まず構えさせてから、彼の左手を持った。

「ストレートは肘を開かずにまっすぐに突き出すが、フックは逆に肘を開くような感じで打つ」

監督は優紀の左肘を持って開くようにした。「腕をくの字に曲げた形で打つ。突くというよりも引っかけるように打つんや。だからフック言うんやが」

「はい」

「パンチの軌道は横とか斜めやな。そやから相手から見て死角から飛んでくる感じや。さっきの鏑矢の左フックは見えんかったやろ?」

「はい」

「左フックは単発で打つ場合と、右ストレートを打った後に切り返しで打つ場合がある。単発で打つ左フックは相当難しいから、まずは右を打った後の返しの左フックを教える」

「はい」

「右ストレートを打ってみろ」

優紀は言われた通りにした。沢木監督は伸ばした優紀の右拳を摑んで言った。

「よし、これまではそこで右手を引いていたな」

「はい」

「切り返しの左フックというのは、この右手を引く動きに合わせて左手を『く』の字に曲げて打つんや。ゆっくりやってみろ」

優紀は右手を引きながら左手を曲げて打った。

「右を打つ時、腰を捻ってるやろう。その腰を戻す動きに左手を合わせるんや」

「はい」

「その時、腰は元に戻すだけやなしに、逆に捻るんや。やってみろ」

優紀は右ストレートを打った後、切り返しの左フックを打った。手と腰の動きが連動していないのが自分でもわかった。

「気にするな。何度もやれ」

優紀は右ストレートから左フックを何度も繰り返した。次第にタイミングが摑めてきて、腰の回転に手が付いてくるようになったが、何かしっくりこないものを感じていた。

監督がパンチングミットを用意した。

「このミットに右ストレートを打ってから、左フックを打て」

優紀は監督の構えるミットに右から左のコンビネーションを繰り返した。監督は角度の違うパンチをミットの向きを変えて受け止めた。

右ストレートはミットに当たった瞬間「パン」と大きな音を立てたが、返しの左フックは「パスッ」という鈍い音しか鳴らなかった。

「どうや？」

「なんかぎこちないです」

「具体的にはどんな感じや？」

「左腕に体重が乗っていかない感じです」

監督はうなずいた。

「それは左足をうまく使ってないからや。腰を右に逆回転させる時、左足もその回転に合わせるんや。意識して左足のつま先を内側に入れて、膝を曲げるんや。そうすると腰の回転がスムーズになる。ええか、左のつま先を捻るんや」

言われたようにやってみた。すると、劇的に腰が回転するようになった。左フックのミットを叩く音が大きくなり、何度目かの時に「パン」といい音を立てた。監督はにっこり笑った。

「そういう感じや。その感触を忘れるな」

その時、ラウンド終了のブザーが鳴った。

「もうちょっとやってみるか」

「はい」

優紀は次のラウンドも監督のミットめがけて切り返しの左フックを何発も打った。

こんな風に監督の構えるミットを打つのは初めてだった。

沢木監督は途中何度か優紀の動きを止めて、注意を与えた。それは肩であったり、肘であったり、膝であったりした。監督の注意は的確で、指導のたびにパンチが甦り、進化する感じがした。

監督はさらに2ラウンドを優紀とマンツーマンで左フックの練習の相手をしてくれた。

たっぷり4ラウンド監督の指導を受けた後、優紀は練習の終わりまで一人でサンドバッグ相手に同じパンチを練習した。

練習が終わって解散してから、沢木監督は優紀を呼んだ。

「練習は右を打ってからの切り返しの左フックだけにしとけよ。単独の左フックは、俺がよしというまで打つな」

優紀は、はいと返事した。

監督が練習場から去った後、飯田が優紀に声をかけた。

「監督があんなに一所懸命に教えてるとこ初めて見たで」

「ほんまや。何かあったんかな」野口も言った。「うちの監督は放任主義やのに」

「そうなの？」と高津先生が飯田に訊いた。

「はあ、まあ、ガードのことに関しては、くそうるさいけど、パンチの打ち方なんかあんまりごちゃごちゃ言いませんね」

「俺なんかガードのこともごちゃごちゃ言われへんで」

飯田が鏑矢の方を振り向いて「お前は天才やからええんや」と言った。

「急に指導に熱が入ったのかしら？」

「もしかしたら、合同練習見て監督魂に火が点《つ》いたりして――」

井手の言葉に、野口が「練習が厳しなったら、どうすんねん！」と言った。

皆は笑ったが、優紀は厳しくしてくれるならいくら厳しくてもいいなと思った。


優紀は帰宅してからも、一人黙々と右ストレートから切り返しの左フックの練習を繰り返した。夕飯を食べる前に一時間、夕食後はランニングの後、休憩を入れて二時間は練習した。

数分おきに、沢木監督に言われた腰、肩、肘、手首、それに膝とつま先の動きをチェックするのを忘れなかった。

それにしても左フックというパンチは実に不思議なパンチだ。構えたところからまっすぐに拳が飛ぶジャブやストレートとはまったく軌道が違う。拳が弧を描きながら横から入る。その弧も自在に角度を変えることが出来る。右ストレートを覚えた時も、凄い武器を手に入れたような気がしたが、左フックは右ストレートとは違った意味での魔法のパンチかもしれない。鏑矢の強さの秘密の一つは左フックを変幻自在に使えるからではないのかと思った。

優紀はシャドーボクシングにも左フックを取り入れた。今までは左ジャブと右ストレートだけだったのが、左フックが加わることによって、パンチのバリエーションが一挙に増した。

翌日の練習中、昨日と同じように監督に「ミットを持ってもらえませんか」とお願いした。監督はよしと言って立ち上がった。

優紀が右ストレートから切り返しの左フックを打つと、監督はほおっという顔をして一瞬ミットを下げた。

「何か、おかしいですか?」

「いや――」

監督は首を捻《ひね》った。「昨日、家で大分やったんか」

「はい」

「——そうか」

沢木はまたミットを構えた。優紀は監督の持つミットにパンチを打った。昨日よりもスムーズに動く。パンチに体が馴染《なじ》んでいるのがわかる。

「よし、左ジャブから右ストレート、最後に左フックで決めるか」

沢木の言葉にうなずくと、優紀はジャブからワンツースリーを打った。監督のミットがパンパンパンと三つの音を立てた。

「続けていこう」

優紀はまた同じパンチを打った。小気味いい音が耳を刺激する。連続して三つのコンビネーションを打った。最後の左フックが一番いい音を立てているのがわかった。左フックがダウンを奪うパンチになる率が高いというのがわかるような気がした。右ストレートで腰が入っているから、その反動で打つ分、腰の回転がそれ以上にかかる。そこに同じ回転に乗せた腕が動くから威力はかなりのものになるのがわかる。右ストレートで棒立ちにした後に、左フックをクリーンヒットさせれば、どんな相手でも倒れるだろうと思った。

沢木は時折ポジションを変えた。そのたびに優紀は体の向きを変えて打った。ラウンド終了のブザーが鳴った時、全身が汗でびっしょりだった。

その週の終わり、練習の帰り道、鏑矢はガムを噛みながら、思いついたように言った。

「ユウちゃん、今週から左フックを練習してるやんか」

「うん」

「びっくりするくらい上手《うま》なってるで」

「うそ」

「ほんまや」

「真《ま》に受けるで」

「ええで」

鏑矢に誉められて嬉しかった。内心、左フックには密かな自信があったのだ。その週、優紀はひたすら右ストレートから返しの左フックの練習に明け暮れていた。左ジャブと右ストレートを覚えた時もそうだったが、練習するたびに体が新しい動きに馴染んでいくのがわかる。練習の喜びは、この快感なのかもしれないと思った。

「沢木監督の指導、結構ええんかもしれへんな」と鏑矢が言った。

「なんで？」

「監督、ユウちゃんにはずっとワンツーしか教えへんかったやんか」

「他《ほか》のパンチは打つなって言われてたんや」

「それ、もしかしたら理《り》にかなっててんのかもしれん」

「どういう意味？」

「ようわからん。けど、ふっとそう思たんや」

鏑矢はガムをふくらませた。「左フックは先輩もみんな打つけど、俺から見たらむちゃくちゃな打ち方や。変な癖付いてしもてる。あれはもしかしたら、勝手に練習したからかもしれん」

優紀は鏑矢がそんな風に先輩たちのボクシングを批評するのを聞いて驚いた。他人のことなんかまったく関心のないマイペースの男だと思っていたからだ。

「せやけどユウちゃんはワンツーをみっちりやってから、左フックを教えてもらったやろう。あれがよかったんかもしれん」

だとすれば、たしかに沢木監督の指導がよかったことになる。

「カブちゃんは誰にパンチを教えてもろたんや」

「中学時代に通てたジムのトレーナーや。けど、適当な教え方やったで」

「でも、ちゃんと打ててるやん」

「まあな」

おそらく鏑矢は最初に習った時から完璧に近い打ち方が出来ていたのだろうと思った。

二人は新今宮駅近くまでやって来た。

「マクドでも寄っていかへんか？」と鏑矢が言った。

「ぼく、今日お金持ってへんねん」

「奢《おご》ったるがな」

「悪いよ」

「ええって」

鏑矢は半ば強引に優紀をマクドナルドに誘うと、カウンターでビッグマックとマックシェイクを二人分注文した。

「ありがとう」

「気にすんな」

「それはそうと、カブちゃん」と優紀は椅子に座るなり言った。「減量はええのんか？　国体まであと三週間やろう」

「大丈夫」

「何かカブちゃん、ちょっと大きなってる感じがするで。今何キロ?」

「──60キロ」

優紀は、えっと思った。フェザーのリミットを3キロもオーバーしてるではないか。以前は普段でもフェザーのリミットにぎりぎり入ってるくらいだったのに。

「最近、背ぇも伸びてきて、肉も付いてきたんや」

「監督知ってんの?」

「いや、練習場の表には59キロって書いてる」

練習場には各自の体重を記入する表が貼られてあり、練習前と練習後の体重を書き込むことになっていた。

「ビッグマックなんか喰《く》うて、大丈夫なん?」

「大丈夫やって。ちょっと動いたら1キロ以上落ちるし、俺の場合、一晩寝たら1キロ近く落ちるんやから。3キロなんか三日もあったら十分や」

鏑矢はそう言ってビッグマックを囓《かじ》った。優紀もそれ以上は口を挟むのはやめた。

「話、変わるけど、丸野がおらんと何か寂しいな」鏑矢がぽつりと言った。

「どうしたん、丸野のことが気になってんの?」

「何ちゅうか、あんなんでもおらんと寂しいやんか」

それは優紀も同感だった。鏑矢が合宿に行ってる間は丸野も休みだったから、明るい二人がいない練習は寂しかったのはたしかだ。

「それより――」

鏑矢が急に真面目な顔をして言った。「ユウちゃん、お前、ジャブ速《はよ》なったな」

「ほんま？」

鏑矢はうなずいた。

「こないだのマスで、俺、何回かジャブもろたやん。あんなん試合でも滅多にもらわへんで」

「まぐれや」

「アホか。まぐれで俺がジャブなんか喰うかよ。たしか一発はカウンターでもろた」

そのパンチは自分でもはっきり覚えていた。鏑矢のジャブをヘッドスリップで外したと同時に打ったジャブが鏑矢の顔面にヒットしたのだ。浅くではあったが、たしかにクリーンヒットした。

「あれな――」鏑矢はにやりと笑って言った。「ちょっと、ぞっとしたで」

少し照れくさくなって、マックシェイクを飲んだ。

「お前、ほんまはすごい才能があんのかもしれんで」

鏑矢が珍しく真剣な表情になった。

「ぼくなんか才能ないよ。カブちゃんに追い付きたいと思って必死でやってるだけや」

鏑矢が何か言いかけた時、カウンターの方で大きな声が聞こえた。見ると、列に割り込んだらしい若い二人組の男が、誰かに注意されて逆ギレしているようだった。怒鳴られた中年男性はすごすごと店を出ていった。店の中がいっぺんに嫌な空気になった。

「アホちゃうか。そない早よ喰《は》いたいんか」

鏑矢は二人の若者に聞こえるように言った。優紀はどきっとした。二人の若者はこちらを睨んだ。派手なシャツを着たいかにも不良といった感じの顔だった。

鏑矢はビッグマックを嚙りながら言った。

「ええ年こきやがって、ハンバーガー喰うのに何必死なっとんねん」

二人の男と鏑矢は数秒睨み合ったが、男たちは鏑矢の様子を見て相手にするのは危険と見たのか、何も買わずに店を出ていった。

二人が店を出てからも、優紀はしばらく動悸がおさまらなかったが、鏑矢はもう何事もなかったようにマックシェイクを飲んでいた。ケンカになっても百パーセント勝つ自信があったのだろう。凄い奴だと思った。

その時突然、ずっと前から考えていたことを打ち明けようと思った。

「カブちゃん、ちょっと話聞いてくれるか」

「何や？」

「ぼくな——、中学時代、いじめられてたんや」

鏑矢は表情を変えた。

「ほんまか——俺がぶちのめしに行ったるのに。何で言わへんかったんや？」

優紀は返事に困った。鏑矢はすこぶるいい奴だが、無神経なところもある。

「それでな」と優紀は強引に話を進めた。「俺、そいつらに復讐しようかなと思てるんや」

言いながら脳裏に数ヵ月前の茶屋町で味わわされた屈辱が甦ってきて、顔が熱くなってくるのを感じた。あの時の悔しさを今こそ晴らしたい。

「やったれ、やったれ。今のユウちゃんなら、ぼこぼこに出来るで」

「そうか」

「当たり前やん」鏑矢は自信たっぷりに請け負った。「そやけど、相手は一人か？」

「いや、何人かおるんやけど、特に殴りたいのは一人や」

「一人やったら楽勝やで」

鏑矢の笑顔に優紀もつられて笑った。

「前から、いっぺん復讐したかったんやけど——今、やったろうかなと思たんや」

「勝つ自信あるんか?」

「ある」

鏑矢はその返事を聞いてにっこりした。

「わかった。それでいつやんの?」

「今からそいつの家に行こうかなと思うんやけど——」

「今からか」鏑矢は驚いた顔をした。「まあ、こういうのは思い立った時にせなな——せやけど、家におるんか」

「おらんかったら、その時はその時や」

「出たとこ勝負やな」鏑矢は笑った。「そいつ、名前、なんちゅうねん?」

「橋本」

「ほな、行こか」

鏑矢が立ち上がった。遅れて優紀も立ち上がった。

橋本の家は東淀川区の西中島南方《にしなかじまみなみがた》駅の近くだった。新今宮からは地下鉄で一本だった。

夕方とはいえ、うだるような暑さだった。駅を降りてしばらく歩くと、汗でびっしょりになった。鏑矢がアイスクリームを食べたいからコンビニに寄っていこうと言った。優紀も一緒に入ったが、何も食べる気にはなれなかった。結局、鏑矢だけがアイスを買った。

道すがら、鏑矢は「ガリガリ君」を囓りながら、「そいつには最近会《お》うたんか？」と尋ねた。優紀は少し迷って「いいや」と答えた。数ヵ月前の屈辱は鏑矢に話したくなかった。

橋本の家が近付くと、優紀の緊張感は増してきた。同時に心臓がばくばくしてきた。

横では、鏑矢が「追いかけーて、追いかけーて、すがりつきたいのー」と歌っている。

「それ、なんちゅう歌？」

「知らん」

「聞いたことないわ」

「オカンがよう歌てるんや」

「カブちゃんのオカン、年なんぼ？」

「さあ、年言いよらんねや。五十くらいちゃうかな」

鏑矢と話していると、少し緊張がほぐれた。

やがて前方に「橋本クリーニング店」という看板が見えた。

「あれや」

「クリーニング屋か」

優紀はうなずいた。

「俺はどうしてよ？」

「ここにいて。ぼくが一人で行ってくる」

「ラジャー」

優紀は鏑矢を交差点に残し、一人で橋本の家に向かった。緊張と恐怖で足が震えそうだった。橋本が家にいなければいいなと少し思った。

店の戸を開けると、中年のおばさんが「いらっしゃい」と挨拶した。

「木樽と言います。洋一君はいますか？」

「おるよ」

おばさんはそう言うと、奥に向かって「洋一」と大きな声で呼んだ。「お友達が来てるで」

賽《さい》は投げられたと思った。もう引き返せない。

奥から出てきた橋本は、優紀の顔を見て、少し驚いたようだった。

「何や？」

「ちょっと話したいことがあって」

橋本は優紀の顔をじっと睨んだ。

「そうか……。ちょっと待っててくれ。服着替えてくる」

橋本はそう言って奥に引っ込んだ。

優紀は一旦店を出て、橋本を待った。数分後に橋本が店から出てきた。

「何やねん？」

橋本は店の戸を閉めるなり、声にドスを利かせた。「家まで来やがって、何の用やねん！」

「話したいことがあるんや」

「せやから、何やねん言うとんのじゃ！」

「話せるとこへ行かへんか」

橋本は凄むように優紀の顔を睨み付けた。優紀は自分の心に恐怖が浮き出てくるのがわかった。その感情を必死で押し沈め、橋本の目を睨み返した。橋本は、鼻でふんっと言った。

「ちょっと歩いたとこに公園がある。人もあんまりおらんから、そこはどうや」

「ええよ」

橋本は、付いて来いというふうに顎をしゃくると、歩き出した。優紀はその後を歩いた。

振り返ると、かなり離れて鏑矢が付いて来た。口にはアイスの棒をくわえていた。

歩きながら手が汗でびっしょりになってくるのがわかった。何度もズボンで拭いた。動悸が早鐘のように打ち、その音が自分でも聞こえた。やばいと思った。やるなら、家の前でやればよかった。時間が経てば経つほど、緊張感と恐怖心が全身に染み込んでくる気がした。

橋本の背中を見ながら、恐怖心を振り払うために、中学時代に彼に何度も味わわされた屈辱を思い出そうとした。そしてこの悔しさをいつか晴らしてやると決意した記憶を甦らせようとした。しかし悔しさは恐怖心を上回ることが出来なかった。

不意に橋本が振り返った。どきっとして心臓が止まるかと思った。

「ここや」

気が付けば、公園の入口に来ていた。

「そこの便所の裏やったら、誰もいてへん」

優紀はうなずいた。

橋本と二人で公衆便所の裏に回ると、そこには三人の少年がいた。うち二人は中学時代の橋本の友人で、彼と一緒になって優紀をいじめた男だった。

「どうしたんや、橋本」

「大慌てで来たで」

三人の少年はにやにや笑っていた。

「このガキが、俺に話がある言うてな」

橋本は顎をしゃくって優紀を指した。

その瞬間、すべて呑み込めた。橋本は家を出る前に携帯電話で、仲間を呼び集めていたのだ。

「話って何やねん、ああ？」

橋本が優紀に向き合って言った。

その時、橋本を含む男たちの視線が自分の後方に向かったのが見えた。振り向くと、鏑矢が立っていた。

「お前、誰やねん？」

橋本が鏑矢に言った。

「ユウちゃんの友達や」鏑矢は答えた。

口にはもうアイスの棒はなかった。

「何しに来たんや」

「立会人や。ユウちゃんが橋本とかいうボケと決闘すんのを見届けるんや」

「何いっ！」

「ぎゃあぎゃあ喚《わめ》くな」

鏑矢は言った。「一対一でやれ。他の奴は手ぇ出すな」

「お前もいてもうたろうか！」三人のうちの一人が怒鳴った。

「もし、誰か他の奴が手ぇ出したら、俺がぼこぼこにしたる」

鏑矢はそう言うと、切り株に腰を下ろした。鏑矢の余裕の態度に三人の少年は黙った。

「木樽、やろか」

橋本の言葉に優紀はうなずいた。

「橋本、これ使うか？」

三人の少年の一人が持っていた金属バットで地面を叩いた。

「このガキにそんなもん、いらんわ」

橋本はそう言うと、優紀に向かって「こいや」と手招きした。

優紀は拳を上げて構えた。

大丈夫だ。ぼくは鏑矢ともグローブを合わせたんや。鏑矢にもジャブを当てることも出来たんや。

前進すると、ジャブを出した。橋本は慌てて後ろへ下がったが、優紀のパンチの方が速かった。拳が橋本の口に当たった。唇が裂けて血が出た。

「この野郎！」

橋本は猛然と突進して来た。優紀はジャブを打ったが、しゃがむように突っ込んできた橋本の額に当たった。続けて右を打ったが、空振りした。橋本は優紀の体を掴むと、振り回した。優紀はバランスを失ってよろけた。橋本は優紀の服を掴んだまま、膝蹴りしてきた。

腹にまともに受け、思わず膝をついたが、すぐに立ち上がって後ろに飛びのいた。

橋本がにやりと笑いながら近付いて来た。

「ユウちゃん、右打て！」

鏑矢が怒鳴ったが、優紀は体がすくんで手が出なかった。橋本の回し蹴りを頭にまともに喰らって倒れた。起き上がろうとしたが、足に来て立てなかった。四つん這《ば》いになりながら、もう駄目だと思った――勝てない。

「秒殺やったのう」と三人のうちの一人がおかしそうに言った。

「二度と逆らえんようにぼこぼこにしたれや！」

「そうやなあ。フルボッコしといたるか」

橋本はそう言うと、両手を地面についたままの優紀の腹を蹴った。内臓に激痛が走り目の前が真っ暗になった。全身が恐怖ですくんだ。

「もうええやろう」

後ろから鏑矢の声が聞こえた。「それくらいにしとけや」

鏑矢は優紀の腕を持つと、立ち上がらせた。

「大丈夫か」

優紀はうなずいた。情けなさと悔しさで涙がぼろぼろと流れてきた。

「行こう」

と鏑矢が言った。

「ちょっと待たんか、ボケ！」

橋本が怒鳴った。「お前ら、そのまま帰さへんで」

鏑矢は橋本に背を向けたまま、「あほか」と言った。

橋本が突っ込んできた。鏑矢が振り返りざま右ストレートを橋本の顎に叩き込んだ。橋本は仰向けに引っくり返った。

鏑矢は三人の少年たちに向かって走った。金属バットを持っていた一人が慌ててバットを水平に振ったが、鏑矢は空中高く飛んでそれをかわすと、彼の頭に強烈な跳び蹴りを喰らわせた。少年の体は二メートルも後方にぶっ飛んだ。

残った二人の少年はがたがた震えていた。

「お前らもいてもうたろうか」

二人の少年は真っ青な顔で、ごめん、と言った。一人は地べたに土下座した。

その時、橋本がよろよろと立ち上がりかけるのが見えた。鏑矢はゆっくりと橋本に近付くと、その顎を力一杯蹴り上げた。大の字に倒れた橋本はぴくりとも動かなかった。


（下巻に続く）

●本書は二〇一〇年三月、太田出版より刊行された『ボックス!』上巻の二次文庫です。

|著者|百田尚樹　1956年、大阪生まれ。同志社大学中退。放送作家として人気番組「探偵！ナイトスクープ」など多数を構成。2006年、太田出版より刊行された『永遠の0《ゼロ》』で作家デビュー。'13年『海賊とよばれた男（上下）』（講談社）で第10回本屋大賞を受賞。他の著書に『風の中のマリア』『影法師』（ともに講談社文庫）、『錨を上げよ』（講談社）、『夢を売る男』（太田出版）などがある。

ボックス！（上）

百田尚樹《ひゃくたなおき》

講談社文庫
定価はカバーに
表示してあります

2013年4月12日第1刷発行
2013年9月11日第5刷発行

発行者――鈴木　哲

発行所――株式会社　講談社
東京都文京区音羽2-12-21　〒112-8001
電話　出版部（03）5395-3510
　　　販売部（03）5395-5817
　　　業務部（03）5395-3615

デザイン―菊地信義
製版――大日本印刷株式会社
印刷――大日本印刷株式会社
製本――大日本印刷株式会社

Printed in Japan

ISBN978-4-06-277535-9

講談社文庫刊行の辞

二十一世紀の到来を目睫に望みながら、われわれはいま、人類史上かつて例を見ない巨大な転換期をむかえようとしている。

世界も、日本も、激動の予兆に対する期待とおののきを内に蔵して、未知の時代に歩み入ろうとしている。このときにあたり、創業の人野間清治の「ナショナル・エデュケイター」への志を現代に甦らせようと意図して、われわれはここに古今の文芸作品はいうまでもなく、ひろく人文・社会・自然の諸科学から東西の名著を網羅する、新しい綜合文庫の発刊を決意した。

激動の転換期はまた断絶の時代である。われわれは戦後二十五年間の出版文化のありかたへの深い反省をこめて、この断絶の時代にあえて人間的な持続を求めようとする。いたずらに浮薄な商業主義のあだ花を追い求めることなく、長期にわたって良書に生命をあたえようとつとめるところにしか、今後の出版文化の真の繁栄はあり得ないと信じるからである。

同時にわれわれはこの綜合文庫の刊行を通じて、人文・社会・自然の諸科学が、結局人間の学にほかならないことを立証しようと願っている。かつて知識とは、「汝自身を知る」ことにつきていた。現代社会の瑣末な情報の氾濫のなかから、力強い知識の源泉を掘り起し、技術文明のただなかに、生きた人間の姿を復活させること。それこそわれわれの切なる希求である。

われわれは権威に盲従せず、俗流に媚びることなく、渾然一体となって日本の「草の根」をかたちづくる若く新しい世代の人々に、心をこめてこの新しい綜合文庫をおくり届けたい。それは知識の泉であるとともに感受性のふるさとであり、もっとも有機的に組織され、社会に開かれた万人のための大学をめざしている。大方の支援と協力を衷心より切望してやまない。

一九七一年七月

野間省一

平山壽三郎 明治ちぎれ雲
火坂雅志 美食探偵
火坂雅志 骨董屋征次郎手控
火坂雅志 骨董屋征次郎京暦
平野啓一郎 高瀬川
平野啓一郎 ドーン
平山譲 ありがとう
平田俊子 ピアノ・サンド
ひこ・田中 新装版 お引越し
平岩正樹 がんで死ぬのはもったいない
百田尚樹 永遠の0《ゼロ》
百田尚樹 輝く夜
百田尚樹 風の中のマリア
百田尚樹 影法師
百田尚樹 ボックス！(上)(下)
ヒキタクニオ 東京ボイス
ヒキタクニオ カワイイ地獄
平田オリザ 十六歳のオリザの冒険をしるす本
ビッグイシュー 枝元なほみ 世界一あたたかい人生相談

久生十蘭 久生十蘭「従軍日記」
東直子 さようなら窓
平敷安常 キャパになれなかったカメラマン(上)(下)〈ベトナム戦争の語り部たち〉
樋口明雄 ミッドナイト・ラン！
平谷美樹 藪の奥〈眠る義経秘宝〉
藤沢周平 義民が駆ける
藤沢周平 新装版 春秋の檻〈獄医立花登手控え(一)〉
藤沢周平 新装版 風雪の檻〈獄医立花登手控え(二)〉
藤沢周平 新装版 愛憎の檻〈獄医立花登手控え(三)〉
藤沢周平 新装版 人間の檻〈獄医立花登手控え(四)〉
藤沢周平 新装版 闇の歯車
藤沢周平 新装版 市塵(上)(下)
藤沢周平 新装版 決闘の辻
藤沢周平 新装版 雪明かり
古井由吉 野川
福永令三 クレヨン王国の十二か月
船戸与一 山猫の夏
船戸与一 神話の果て
船戸与一 伝説なき地

船戸与一 血と夢
船戸与一 蝶舞う館
船戸与一 夜《イエ》来《ライ》香《シャン》海峡
深谷忠記 黙秘
藤田宜永 樹下の想い
藤田宜永 艶《つや》めき
藤田宜永 異端の夏
藤田宜永 流砂
藤田宜永 子宮の記憶〈ここにあなたがいる〉
藤田宜永 乱調
藤田宜永 壁画修復師
藤田宜永 前夜のものがたり
藤田宜永 戦力外通告
藤田宜永 いつかは恋を
藤田宜永 喜の行列 悲の行列(上)(下)
藤田宜永 老猿
藤川桂介 シギラの月
藤水名子 赤壁の宴
藤水名子 紅嵐記(上)(中)(下)

講談社文庫　目録

講談社文庫　目録

松本清張　新装版 紅刷り江戸噂
松本清張他　日本史七つの謎
松谷みよ子　ちいさいモモちゃん
松谷みよ子　モモちゃんとアカネちゃん
松谷みよ子　アカネちゃんの涙の海
眉村　卓　ねらわれた学園
丸谷才一　恋と女の日本文学
丸谷才一　闊歩する漱石
丸谷才一　輝く日の宮
丸谷才一　人間的なアルファベット
麻耶雄嵩　翼ある闇〈メルカトル鮎最後の事件〉
麻耶雄嵩　夏と冬の奏鳴曲《ソナタ》
麻耶雄嵩　木製の王子
松浪和夫　摘出
松浪和夫　非常線
松浪和夫　核の柩
松浪和夫　警官魂〈激震篇〉〈反撃篇〉
松井今朝子　仲蔵狂乱
松井今朝子　奴《やっこ》の小万《こまん》と呼ばれた女

松井今朝子　似《に》せ者《もん》
松井今朝子　そろそろ旅に
町田　康　へらへらぼっちゃん
町田　康　つるつるの壺
町田　康　耳そぎ饅頭
町田　康　権現の踊り子
町田　康　浄土
町田　康　猫にかまけて
町田　康　真実真正日記
町田　康　宿屋めぐり
町田　康　猫のあしあと
舞城王太郎　煙か土か食い物〈Smoke, Soil or Sacrifices〉
舞城王太郎　世界は密室でできている。〈THE WORLD IS MADE OUT OF CLOSED ROOMS〉
舞城王太郎　熊の場所
舞城王太郎　九十九十九
舞城王太郎　山ん中の獅見朋成雄《しみともなるお》
舞城王太郎　好き好き大好き超愛してる。
舞城王太郎　NECK《ネック》
舞城王太郎　SPEEDBOY!

舞城王太郎　獣の樹
松尾由美　ピピネラ
松久　淳・田中　渉・絵　四月ばーか
松浦寿輝　花腐《くた》し
松浦寿輝　あやめ鰈ひかがみ
真山　仁　ハゲタカ(上)(下)
真山　仁　ハゲタカ2(上)(下)
真山　仁　虚像の砦
真山　仁　レッドゾーン(上)(下)
毎日新聞科学環境部　理系白書
毎日新聞科学環境部　「理系」という生き方〈この国を静かに支える人たち〉〈理系白書2〉
毎日新聞科学環境部　迫るアジア どうする日本の研究者〈理系白書3〉
前川麻子　すきもの
町田　忍　昭和なつかし図鑑
松井雪子　チル☆
牧　秀彦　裂《れっ》帛《ぱく》〈五坪道場一手指南〉
牧　秀彦　凛《りん》々《りん》〈五坪道場一手指南〉
牧　秀彦　雄《ゆう》飛《ひ》〈五坪道場一手指南〉
牧　秀彦　清《せい》冽《れつ》〈五坪道場一手指南〉

2013年6月15日現在